IRA LEVIN

Stepfordo moterys

ROMANAS

Iš anglų kalbos vertė
Linas Ruzgys

2004

UDK 820(73)-3
Le-379

Versta iš: *Ira Levin*
The Stepford Wifes
First Perennial edition 2002.

ISBN 9955-9725-0-5

Pratarmė

Lietuvių skaitytojų pažintis su amerikiečių rašytoju Ira Levinu prasidėjo 1995 m., kai lietuvių kalba pasirodė vienas garsiausių šio autoriaus romanų „Rozmari kūdikis“, kuris pagrįstai laikomas siaubo literatūros klasika. Beje, į klasikinių lentyną patenka mažne kiekviena I. Levino knyga. O parašė jis jų tikrai nedaug. Rašytojo gerbėjams tenka apsišarvuoti geležine kantrybe ir kaskart laukti apie dešimt metų, kol dienos šviesą išvys kitas romanas. I. Levino knyga „Stepfordo moterys“, pasirodžiusi aštuntojo dešimtmečio pradžioje, ypatingo dėmesio nesulaukė. Ir kritikai, ir skaitytojai nesuko sau galvų dėl rašytojo užmačių. Paprasčiausiai nesuprato, ką I. Levinas norėjęs pasakyti. Antiutopinis romano prieskonis, atvira satyra, peraugant į groteską, ir Amerikos vartotojiškos visuomenės kritika didžiulio atgarsio nesukėlė. 1975 m. pasirodžiusi pirmoji „Stepfordo moterų“ ekranizacija taip pat liko nesuprasta. Po keleto metų šis I. Levino kūrinys buvo užmirštas. Tačiau laikas viską sudėsto į savo lentynas. Praėjo trys dešimtmečiai, ir „Stepfordo moterys“ tapo labiausiai vertinamu rašytojo kūriniu, saspenso žanro perliuku. Šiandien feministinis romano pobūdis jau niekam nekelia abejonių. Tačiau kūrinys nėra toks paprastas, kaip gali atrodyti. Atidžiau žvilgtelkime į „Stepfordo moteris“.

Romano veiksmas rutuliojasi aštuntojo dešimtmečio pradžioje, kai Ameriką buvo apėmusi tikra feminizmo banga. Iš esmės knyga pasakoja apie viduriniosios klasės baltaodžių moterų nepasitenkinimą esama padėtimi ir apie vyrų baimę, kurią sukelia tas nepasitenkinimas. Mat jaunesnės moterys yra išsilavinusios, todėl tikisi iš gyvenimo šio to daugiau, nei tapti savojo sutuoktinio pagalbininke ir tarnaite. Tuo tarpu vyresnės Stepfordo gyventojos, kurios kadaise taip pat politikavo ir žavėjosi feminizmu, galiausiai atsisakė visų siekių ir grįžo prie įprastos moters rolės visuomenėje: būti gera žmona ir motina.

Džoana atsikrausto į Stepfordą iš didmiesčio drauge su vyru ir dviem vaikais. Apsigyvena puikiame name. Tačiau priešingai nei tikimės, toji naujų namų erdvė, paprastai simbolizuojanti jaukų ir ramų gyvenimą, šiame romane tampa slopinančiu ir bauginančiu veiksniu. Literatūroje nelaimingas šeimyninis gyvenimas buvo vaizduojamas iki pat Viktorijos laikų. Devynioliktо amžiaus pabaigoje viskas keičiasi. Nuo tada šeimyninį gyvenimą imta vaizduoti kaip kažką palaiminga ir sentimentalaus. Literatūra ir populiarioji kultūra suformavo naujus stereotipus.

Vyrai (su šeimomis) kraustėsi į kaimo vietoves ir priemiesčius ne todėl, kad baimintųsi mieste klestinčio nusikalstamumo, o norėdami atkurti tą idilišką šeimos vaizdelį, kuris, jų nuomone, egzistavo šeštajame dešimtmetyje. Tačiau iš tiesų toks gyvenimas spindėjo tik televizijos ekrane ir literatūroje. Tikrovė anaiptol nepriminė idilės. Tokių šeimų motinos, o vėliau ir jų dukros, privalėjo užgniaužti savo poreikius vardan laimės iliuzijos. Vyras taip pat privalėjo slopinti savo tikruosius troškimus. Tokios idiliškos šeimos puoselėjimo kaina buvo itin aukšta. Vyras dažniausiai dirbdavo sunkiai ir toli nuo namų, kad tik išmaitintų šeimą. Tai buvo tipiškas viduriniosios klasės baltaodžių šeimyninis gyvenimas. Kaip žinia, darbininkų klasės šeimos negalėjo leisti sau prabangos ir paversti moterį namų šeimininke. Ir dar vienas įdomus aspektas: bet kokia ne heteroseksualinė veikla tradicinėje šeimoje netoleruojama.

Toje „tradicinėje" šeimoje moters gyvenimas yra itin atidžiai kontroliuojamas. Ji dažniausiai sėdi namuose, atskirta nuo aplinkos, ir atlieka visus namų ruošos darbus bei rūpinasi vaikais. Ji taip pat privalo būti puiki sekso partnerė ir neturėti jokių ypatingų norų. Stepfordo žmonos palieka savo namus tik važiuodamos apsipirkti. Jos neturi laiko dvasiniam tobulėjimui ir įvairiems susibūrimams, nes nuolat skalbia, gamina maistą, tvarko kambarius ir t.t., ir pan. Tuo tarpu jų vyrai (dauguma, matyt, lytiškai nepajėgūs) yra tikrieji padėties šeimininkai. Juos tenkina tokia šeimos struktūra, nes nereikia kvaršinti galvos dėl žmonų poreikių. Nereikia bijoti, kad moterys išplepės draugėms apie keistus savo sutuoktinių seksualinius polinkius ar jų „nepriimtiną“ potraukį jaunesniems vyrams dėl pastarųjų ištvermingumo. Savaime suprantama, kad vienintelė moteris, kuri neprieštaraudama gyventų tokį gyvenimą, yra robotas. Stepfordo moterys-robotai yra tokie pat bejausmiai ir nepriekaištingi, kaip ir vieno iš romano veikėjų Aiko Mazardo piešiniai.

Romano pabaigoje tiek Džoana, tiek ir jos draugė Bobė virsta Viktorijos laikų moteriškumo parodijomis, perkeltomis į dvidešimtojo amžiaus aštuntąjį dešimtmetį. Kuo taps dukterys užaugintos tokių motinų? Ar atėjus laikui jos taip pat bus paverstos robotais? Tačiau nemanykite, jog vien tik vyrai yra kiaulės ir pabaisos. Šioje knygoje ir moterys yra pakankamai siaubingos, o vyrai tokie tampa dėl reakcijos į moters kūną. Toji moterų baimė iššaukia poreikį susikurti nepavojingus pakaitalus. Įdomiausia, jog autoriaus požiūris į tokį sprendimą yra akivaizdžiai neigiamas.

Stepfordo moteris „sukūrė“ mokslas. Tas pats mokslas pražudė Džoaną. Tiksliau, logika. Ji patikėjo vyrų paistalais ir priėmė pasiūlymą, kaip patikrinti ar geriausia draugė yra tikras žmogus.

Ši siaubinga ir neįtikėtina istorija nutiko mažame miestelyje. Tai ne Tvin Pyksas. Tai dar baisiau. Ponios ir ponai, sveiki, atvykę į Stepfordą!

Vertėjas

Skiriu Elei ir Džo Busmanams

Šiandien toji kova įgauna kitą pavidalą; užuot trokšdama patupdyti vyrą į cypę, moteris siekia pabėgti nuo jo; ji jau nesistengia nutempti jį į imanentiškumo platybes, o pati ketina išplaukti į transcendentinės šviesos jūrą. Dabar vyrų nuostata iššaukia naują priešpriešą: vyras itin nenoriai suteikia moteriai laisvę.

Simone de Beauvoir
„Antroji lytis"

Stepfordo moterys

Pirmoji dalis

Toji moteris iš „Naujakurių priėmimo“ komiteto buvo kokių šešiasdešimties metų, tačiau vis dar stengėsi vytis jaunystę ir atrodė trykštanti gyvybingumu (rausvai gelsvos spalvos plaukai, raudonai padažytos lūpos, ryškiai geltona suknelė). Ji mirktelėjo Džoanai, po to išsišiepė ir pasakė:

– Jums tikrai čia patiks! Ir miestelis mielas, ir žmonės geri! Kitur nieko panašaus nė su žiburiu nerastumėt!

Moteris atėjo milžinišku krepšiu nešina. Tiksliau, tai buvo sena ir nutriušusi rudos odos rankinė ilgu diržu, permestu per petį. Iš jos atvykėlė ištraukė ir padavė Džoanai pakelius su pusryčių gėrimo milteliais ir sriubų mišiniais, žaislinę dėžutę su aplinkos neteršiančiu valikliu, knygelę su nuolaidų kuponais, galiojančiais dvidešimt dviejose vietos parduotuvėse, du muilo gabalėlius ir aromatizuotus tamponus...

– Gana, gana, – pratarė Džoana, stovėdama tarpduryje su pilnu glėbiu įvairiausių gėrybių. – Ačiū. Užteks. Liaukitės.

Galiausiai atvykėlė sužvejojo buteliuką odekolono, padėjo jį ant sukrautos daiktų rietuvės, o tada vėl įniko raustis savo rankinėje.

– Susimildama, – pralemeno Džoana.

Tuo tarpu moteriškaitė išsitraukė akinius rausvos spalvos rėmeliais ir bloknotą išsiuvinėtu viršeliu.

– Rašinėju į skyrelį „Pastabos apie naujakurius“, – paaiškino ji šypsodama ir dėdamasi akinius. – Vietos laikraščiui *„Kronika“*.

Ji dar kartą kyštelėjo ranką į krepšio dugną. Šįkart moteris ištraukė šratinuką, kurio viršutinę dalį kaipmat spragtelėjo ryškiai raudonai lakuotu nykščio nagu.

Džoana papasakojo, iš kur ji drauge su Volteriu atvykusi, ką ir kokioje firmoje Volteris dirba, paminėjo Pyto ir Kim vardus ir vaikų amžių, užsiminė, ką ji veikusi iki jiems gimstant, kokiuose koledžuose jiedu su Volteriu mokėsi. Kalbėdama ji nekantriai muistėsi: stovėjo tarpduryje it kvaiša pilnu glėbiu įvairiausių daiktų ir neįstengė nugirsti, ką veikia Pytas ir Kim.

– Gal papasakotumėte apie laisvalaikio pomėgius? Ar jie kokie ypatingi?

Džoana jau žiojosi sakyti, kad ne. Vien taupydama laiką. Tačiau paskutinę akimirką suabejojo. Juk išsamus atsakymas, išspausdintas vietos laikraštyje, bus tarsi nuoroda tokioms moterims kaip ir ji pati, būsimoms draugėms. Kaimynystėje gyvenančios moterys, kurias ji sutiko per keletą pastarųjų dienų, atrodė visai mielos ir paslaugios, tačiau visiškai įnikusios į namų ūkio darbus. Galbūt susipažinusi artimiau, Džoana supras, kad jos turi ir gilesnių minčių, ir didesnių siekių. Tačiau pateikti nuorodą būtų neprošal.

– Kai tik galiu, žaidžiu tenisą. Be to, esu pusiau profesionali fotografė.

– Rimtai? – nusistebėjo moteris iš „Naujakurių priėmimo“, užrašydama Džoanos žodžius.

Džoana šyptelėjo.

– Tiesą sakant, viena agentūra įsigijo tris mano nuotraukas, – paaiškino ji. – Be viso to domiuosi politika ir Moterų išsivadavimo judėjimu. Pastaruoju itin rimtai. Mano vyras taip pat.

– Ir *jis?* – moteris iš „Naujakurių priėmimo" pažvelgė į Džoaną.

– Taip, – nė nemirktelėjo Džoana. – Daugybė vyrų domisi. Ji nepuolė aiškinti, kokią naudą teikia abiejų lyčių atstovų dalyvavimas tokiuose judėjimuose; vietoje to ji pasuko galvą prieškambario link ir įsiklausė: bendrajame kambaryje aidėjo TV studijos žiūrovų juokas, o Pytas ir Kim vaidijosi, tačiau ne tiek smarkiai, kad juo reiktų drausminti. Džoana nusišypsojo moteriai iš „Naujakurių priėmimo".

– Jis taip pat domisi futbolu ir irklavimu, – pasakė ji. – O dar jis kolekcionuoja senuosius Amerikos teisinius dokumentus.

Vis šiokia tokia nuoroda apie Volterį.

Moteris viską užsirašė, užvertė užrašų knygutę ir vėl spragtelėjo šratinuku.

– Štai ir viskas, ponia Eberhart, – ištarė ji šypsodama ir nusiėmė akinius. – Aš įsitikinusi, kad jums čia tikrai patiks. Todėl nuoširdžiai ir draugiškai sakau: „Sveiki, atvykę į Stepfordą". Jeigu norėsite sužinoti šį tą daugiau apie vietos parduotuves ir paslaugas, nesivaržykite, skambinkite man bet kuriuo metu. Numerį užrašiau ant nuolaidų knygelės.

– Dėkui, aš būtinai paskambinsiu, – patikino Džoana. – Ir ačiū už viską.

– Išbandykite juos. Gaminiai išties puikūs! – tarstelėjo moteris iš „Naujakurių priėmimo" ir nusigręžusi pasuko durų link.– Iki pasimatymo!

Džoana atsisveikino ir vis dar stovėdama tarpdury žiūrėjo, kaip moteris vingiuotu keliuku tapsi link savojo raudonos spalvos sukiužusio „Folksvageno“. Staiga automobilio languose pasirodė tuntas šunų. Viduje, prisiploję letenomis prie stiklo, džiūgavo, šokinėjo ir amsėjo juodi bei rudi spanieliai. Be to, Džoana pastebėjo, kad ne ji viena yra šios scenos liudininkė. Kitoje medeliais apsodintos gatvės pusėje, viename iš Kleibrukų antrojo aukšto langų, sujudėjo nebyli stebėtoja. Ji perėjo nuo vieno lango prie kito. Kažkas plovė langus. Džoana nusišypsojo: gal kartais Dona Kleibruk į ją žiūri. Liudininkė vėl dingo ir pasirodė žemiau esančiame lange. Po to ji perėjo prie gretimo lango stiklo.

Stebėtinai užriaumojęs „Folksvagenas“ metėsi pirmyn, tarsi būtų nutrūkęs nuo grandinės. Džoana žengė į prieškambarį ir uždarė duris.

Pytas ir Kim vaidijosi garsiau.

– Liūze, liūze, šikaliūze!

– Oi! Užsičiaupk!

– Liaukitės! – sušuko Džoana, mesdama visą glėbį prekių mėginių ant virtuvės stalo.

– O ji spardosi! – sustūgo Pytas.

– Ot ir ne! Tu šikaliūze! – pasipiktino Kim.

– Tuoj pat *liaukitės!* – pareikalavo Džoana. Ji pasuko link tarpdurio į bendrąjį kambarį ir pažvelgė vidun. Pytas gulėjo ant grindų pernelyg arti televizoriaus, o Kim visa išraudusi stovėjo šalimais ir buvo pasiryžusi įspirti broliui. Tačiau tvardėsi iš paskutiniųjų. Abu vaikai dar dėvėjo pižamas.

– Ji man spyrė jau du kartus! – pasiskundė Pytas.

– O tu perjungei kanalą! Jis perjungė kanalą! – sušuko Kim.

– Visai ne!

– Aš žiūrėjau „Katiną Feliksą“!

– Tylos! – pareikalavo Džoana. – Visiškos tylos! Visiškos, absoliučios, stingdančios, kurtinančios tylos!

Vaikai įsistebeilijo į ją: Kim – plačiomis mėlynomis Volterio akimis, o Pitas – tamsiomis Džoanos bedugnėmis. „Skubėkite į skrydžio finišą! – užriaumojo televizorius. – Nėra elektros srovės!“

– Pirma, tu pernelyg arti televizoriaus, – pratarė Džoana. – Antra, išjunk jį. O trečia, abu tuoj pat apsirenkite. Žinokite, jog tas žalias daiktas, augantis kieme, yra žolė. O geltonas blynas, kabantis virš jos, – šviečianti saulė.

Pytas pamažu atsistojo ir spustelėjo televizoriaus jungiklio mygtuką. Ekranas akimirksniu užgeso. Viduryje liko tik nedidukas šviesos taškelis. Kim pravirko.

Džoana sunkiai atsiduso ir įžengė į kambarį. Pritūpusi ji apkabino Kim per petukus, paglostė nugarą ir pabučiavo šilkines mergaitės garbanas.

– Ei. Ko dabar... – švelniai ištarė Džoana. – Argi nenori vėl pažaisti su ta gera mergaite Alison? Gal pamatysi dar vieną burunduką.

Pytas priėjo artyn ir kilstelėjo Džoanos plaukų giją. Ji pažvelgė į berniuką ir pasakė:

– *Neperjunginėk* kanalų, kai ji žiūri.

– Gerai jau, gerai, – sumurmėjo Pytas, pirštu sukdamas jos tamsių plaukų sruogą.

– O tu *nesispardyk*, – paliepė ji Kim, dar kartą paglostė jai nugarą ir pamėgino pakštelėti į besimuistančios mergaitės skruostą.

Kadangi indus tądien plovė Volteris, o Kim su Pytu ramiai žaidė pastarojo kambaryje, Džoana greitai nusiprausė po šaltu dušu, apsivilko palaidinukę, užsimovė šortus, apsiavė sportbačius ir susišukavo. Rišdamasi plaukus ji vogčiomis dirstelėjo, ką veikia Pytas ir Kim. Vaikai sėdėjo ant grindų ir žaidė su berniuko kosmine stotimi.

Džoana tylomis nulipo žemyn naujai apmuštais laiptais. Vakaras buvo išties puikus. Daiktai po kraustymosi pagaliau išpakuoti, o ji jaučiasi tokia gaivi ir švari. Keletą laisvų minučių (galbūt dešimt ar penkiolika, jeigu pasiseks) drauge su Volteriu pasėdės lauke ir pažvelgs į nuosavus medžius ir nuosavą bemaž vieno hektaro sklypą.

Ji pasuko į prieškambarį. Virtuvė spindėjo švara ir tvarka. Ūžė skalbyklė. Volteris stovėjo greta kriauklės, palinkęs prie lango, ir žiūrėjo į Van Santų kiemą. Jo marškinius „puošė" milžiniška prakaito dėmė: triušis atlėpusiomis ausimis. Jis atsigrįžo, krūptelėjo iš netikėtumo ir nusišypsojo.

– Kiek laiko čia slepiesi? – paklausė šluostydamasis rankas indų rankšluosčiu.

– Ką tik atėjau, – pasakė Džoana.

– Atrodai, lyg būtum gimusi iš naujo.

– Taip ir jaučiuosi. Jie žaidžia ramūs it angeliukai. Gal nori išeiti į lauką?

– Gerai, – pasakė jis sulankstydamas rankšluostį. – Bet tik trumpam. Eisiu pasikalbėt su Tedu.

Jis kyštelėjo rankšluostį tarp kabyklos virbų.

– Štai kodėl žvalgiausi į jo kiemą, – paaiškino Volteris. – Jie ką tik baigė pietauti.

– Apie ką tu su juo kalbėsies?

Jiedu išėjo į vidinį kiemelį.

– Kaip tik ruošiausi tau pasakyti, – tarstelėjo Volteris jiems einant, – jog aš apsigalvojau. Aš stosiu į Vyrų draugiją.

Ji stabtelėjo ir pažvelgė į jį.

– Ten aptariami itin svarbūs dalykai. Aš negaliu taip paprastai atsisakyti dalyvauti jų veikloje, – teisinosi Volteris. – Vietos politika, labdaros fondai ir taip toliau...

Džoana pasidomėjo:

– Kaipgi tu gali stoti į tokią organizaciją, kuri, anot tavęs, yra *senamadiška ir pasenusi?...*

– Traukinyje pasikalbėjau su keliais vyrais, – ėmė aiškinti jis. – Su Tedu, Viku Stavrosu ir kitais naujais pažįstamais. Jie sutinka, kad draudimas moterims dalyvauti jų veikloje paseno.

Volteris pastvėrė jos ranką ir juodu nužingsniavo toliau.

– Tačiau susidariusią padėtį įmanoma pakeisti tik iš vidaus, – tęsė jis. – Aš pasistengsiu įvykdyti tą užduotį. Tedas man papasakos apie bendruomenės komitetų narius ir jų pareigas.

Volteris pasiūlė Džonai cigaretę.

– Rūkysi? O gal šiandien metei?

– Aišku, kad *rūkysiu,* – pareiškė ji ir pasiėmė cigaretę.

Jiedu stovėjo tolimajame kiemo pakrašty. Aplink tvyrojo vėsinanti melsva prieblanda, pulsuojanti svirplių čirpimu. Volteris išsitraukė žiebtuvėlį, pridegė cigaretę Džoanai, o po to – sau.

– Tu tik pažvelk į dangų, – sumurmėjo jis. – Vertas kiekvieno skatiko, kurį sumokėjome.

Ji pakėlė akis į dangų. Jame susiliejo rausvai violetinės, melsvos ir tamsiai mėlynos spalvos. Gražu. Tuomet Džoana pažvelgė į savąją cigaretę.

– Organizaciją įmanoma pakeisti tik iš išorės, – staiga pareiškė. – Rašai peticijas, organizuoji piketus...

– Bet juk pakeisti viską iš vidaus žymiai lengviau, – paprieštaravo Volteris. – Pamatysi, jeigu tie vyriškiai, su kuriais šnekėjausi, yra tipiški, tai nė mirktelt nespėsi, o toji organizacija virs *Visuotine* draugija. Bendras pokerio žaidimas. Seksas ant biliardo stalų.

– Jeigu tie vyriškiai būtų tipiški, – ištarė Džoana, – tai čia jau seniai klestėtų Visuotinė draugija. Tiek to. Jeigu taip nori – stok. Aš pagalvosiu apie šūkius, kurie tiktų plakatams. Kai prasidės mokslo metai, turėsiu marias laiko.

Volteris apkabino ją per pačius:

– Truputį pakentėk. Jeigu po šešių mėnesių jie neįsileis moterų, aš pasitrauksiu ir mes stosime į kovą drauge. Petys petin. „Seksui – taip! Moterų diskriminacijai – ne!".

– Stepfordas tikrai atsilikęs, – pareiškė Džoana siekdama peleninės, stovinčios ant iškylos stalelio.

– Čia dar ne viskas taip blogai.

– Palauk, kol aš rimtai imsiuos darbo.

Jiedu baigė rūkyti, stovėjo susikibę už rankų ir žvelgė į tamsėjantį takelį, vinguriuojantį pievele, į aukštus medžius, bemaž juodus rausvai violetinio dangaus fone. Tarp medžių kamienų mirguliavo šviesos: namų langai gretimame Pjūties skersgatvyje.

– Robertas Ardris* buvo teisus, – prabilo Džoana. – Dabar žinau, ką reiškia nuosava teritorija.

Volteris dirstelėjo į Van Santų namą, po to užmetė akį į laikrodį.

– Einu nusiprausiu, – pasakė jis ir pakštelėjo Džoaną į skruostą.

Ji atsigręžo, sugriebė vyro smakrą ir pabučiavo į lūpas.

---

* *Robert Ardrey (1908–1980)* – garsus JAV antropologas, nuodugniai tyrinėjęs žmonių elgseną, o taip pat Holivudo kino scenaristas. Parašė nemažai knygų antropologijos tema. Prieštaringiausiai vertinama jo knyga – *„Afrikietiškoji genezė"*, kurioje autorius itin išplėtojo ir pagrindė teiginį, jog žmogus esąs iš prigimties agresyvus gyvulys. Kitos knygos: *„Teritorinis imperatyvas"*, *„Socialinis sandėris"*, *„Medžioklės hipotezė"* ir *„Žmogus ir agresija"*.

– Aš dar truputį pabūsiu lauke, – pareiškė ji. – Šūktelėk, jeigu jie pradės išsidirbinėti.

– Būtinai, – patikino Volteris. Jis įžengė į namą pro svetainės duris.

Ji sukryžiavo rankas ir ėmė jas trinti. Vakaro oras palaipsniui vėso. Džoana užsimerkė. Ji atlošė galvą ir įkvėpė žolės, medžių bei švaraus oro aromato. Nuostabu. Tada atsimerkė ir išvydo žvaigždelę, ką tik sužibusią pilkame danguje. Ją ir tą spindintį taškelį skyrė daugybė mylių.

– Žvaigždele šviesi, žvaigždele ryški, – tarstelėjo Džoana. Kitų posmelio eilučių ji neištarė balsu, tačiau pakartojo mintyse.

Jos noras buvo paprastas: kad šeima laimingai gyventų Stepforde. Kad Pytui ir Kim sektųsi mokslai, kad ji su Volteriu rastų gerų draugų ir pajustų pilnatvę. Kad jis nesinervintų dėl nuolatinio važinėjimo į darbą (juk kraustytis į šį užkampį pasiūlė būtent Volteris). Kad visų jų gyvenimai praturtėtų, o nenuskurstų, kaip kad baiminosi ji, palikdama didmiestį. Purviną, perpildytą, nusikalstamą, tačiau tokį gyvybingą didmiestį.

Staiga jos dėmesį patraukė kažkoks garsas ir judesys Van Santų kieme.

Kerolė Van Sant, tamsi povyza švytinčiame virtuvės tarpduryje, stengėsi uždaryti šiukšlių dėžės dangtį. Sužioravusi raudonais plaukais, ji pasilenkė prie žemės. Po kurio laiko atsitiesė, rankose laikydama kažkokį didžiulį ir apvalų daiktą. Tai buvo akmuo. Moteris užvertė jį ant šiukšliadėžės dangčio.

– Sveiki! – šūktelėjo Džoana.

Kerolė atsitiesė ir kurį laikė žvelgė Džoanos pusėn. Stovėjo ten aukšta, ilgakojė, tarsi būtų nuoga, tačiau įrėminta purpurinės šviesos, sklindančios pro jos suknelės klostes.

– Kas ten? – paklausė moteris.

– Tai aš, Džoana Eberhart, – prisistatė Džoana. – Ar aš jus išgąsdinau? Dovanokit, nenorėjau.

Ji paėjėjo link tvoros, skiriančios jųdviejų su Volteriu ir Van Santų sklypus.

– Labas, Džoana, – pasisveikino Kerolė. Ji kalbėjo nosiniu balsu, įprastu Naujosios Anglijos gyventojams. – Ne, Jūs manęs-aaa neišgąsdinot. Gražus vakaras, tiesa?

– Taip, – sutiko Džoana. – Pagaliau išpakavau visus daiktus, tai šis vakaras man dar mielesnis.

Džoanai teko kalbėti garsiai, nes Kerolė liko stovėti tarpduryje. Atstumas per didelis, kad maloniai paplepėtum, nors Džoana jau stovėjo greta gėlių lysvės krašto, prie pat tvoros virbų.

– Kim puikiai praleido popietę su jūsų Alison, – tęsė pokalbį Džoana. – Mergaitės gražiai sutaria.

– Jūsų Kim – tikras angelėlis, – pasakė Kerolė. – Džiaugiuosi, kad Alison susirado tokią mielą naują draugę. O svarbiausia, kaimynystėje. Labos nakties, Džoana.

Moteris nusigręžo, ketindama žengti pro duris vidun.

– Ei! Luktelkit dar minutėlę! – sušuko Džoana.

Kerolė atsigręžo.

– Klausau? – pratarė ji.

Džoana troško, kad čia nebūtų nei tos gėlių lysvės, nei tvoros. Kad ji galėtų prieiti arčiau. Arba, po paraliais, kad Kerolė pati prieitų prie tvoros. Kas jau ten taip „degė“ toje spinduliuojančioje, variniais puodais užgriozdintoje virtuvėje?

– Volteris ateis pasišnekėti su Tedu, – pradėjo Džoana. – Sakau, gal suguldžiusi vaikus, užsuktumėt pas mane puodelio kavos?

– Dėkui, mielai, – ištarė Kerolė, – tačiau reikia išvaškuoti svetainės grindis.

– *Naktį?*

– Dienos metu – bergždžias darbas. Be to, turiu paskubėti, kol mokslo metai neprasidėjo.

– Nejau tos grindys negali palaukti? Juk iki mokslo metų pradžios dar trys dienos.

Kerolė papurtė galvą.

– Ne. Pernelyg ilgai atidėliojau, – pareiškė ji. – Visur pilna įbrėžimų. Be to, Tedas vėliau išeis į Vyrų draugijos susirinkimą.

– Ar jis kiekvieną vakarą ten eina?

– Beveik kiekvieną.

O, Dieve!

– O jūs liekate ir rūpinatės namų ruoša?

– Visada atsiranda darbų, kurios reikia nudirbti, – paaiškino Kerolė. – Juk žinot, kaip būna. Gerai, reikia baigti tvarkyti virtuvę. Labanakt.

– Labanakt, – ištarė Džoana ir nulydėjo žvilgsniu Kerolę, kuriai pasisukus šonu išryškėjo aiškiai per didelė krūtinė. Kaimynė įžengė virtuvėn ir uždarė duris. Bemaž tuo pat metu ji atsidūrė prie lango, greta kurio stovėjo kriauklė, atsuko vandens čiaupą, nustatė srovės stiprumą, paėmė kažkokį indą ir puolė gremžti. Jos tvarkingi raudoni plaukai dailiai švytėjo. Jos veidas, kurį puošė plonytė nosis atrodė mąslus (ir, po velnių, *inteligentiškas*), didžiulės purpurinės krūtys liulėjo sulig kiekvienu šveitimo judesiu.

Džoana sugrįžo į kiemą. Ne, tiesą sakant, ji nežinojo, *kaip būna*. Ir ačiū Dievui. Kad tik netaptų tokia beviltiška namų šeimininkė. Ar atsirastų žmogus, kuris apkaltintų Tedą dėl to, kad šis išnaudoja kažkokią kvaišą, kuri prašosi išnaudojama?

Atsirastų. *Ji* apkaltintų Tedą. Dievaži.

Volteris išėjo į kiemą vilkėdamas ploną striukę.

– Pabūsiu ten tik kokią valandėlę, ne ilgiau, – pasakė jis.

– Toji Kerolė Van Sant – kažkoks vaikščiojantis nesusipratimas, – pareiškė Džoana. – Ji, matot, negali ateiti puodelio kavos, nes ruošiasi *vaškuoti svetainę*. Įsivaizduoji? Tedas kas vakarą eina į Vyrų draugijos susirinkimus, o *ji* lieka ir dirba *namų ruošos darbus*.

– Jėzau, – ištarė Volteris ir papurtė galvą.

– Lyginant su *ja*, – tęsė Džoana, – mano motina – tikra Keitė Milet.*

Jis prunkštelėjo ir ištarė:

– Iki pasimatymo.

Tada pabučiavo Džoaną į skruostą ir nužingsniavo per kiemą.

Ji dar kartą pažvelgė į savo žvaigždelę, dabar jau ryškesnę. „*Nagi, judinkis, pildyk mano norus* “, pagalvojo Džoana ir įžengė į kambarį.

Šeštadienio rytą visa ketveriukė patogiai įsitaisė didžiuliame automobilyje, prisisegė saugos diržus ir išvyko pasivažinėti po Stepfordą. Džoana ir Volteris dėvėjo akinius nuo saulės. Jie nuolat plepėjo apie parduotuves ir pirkinius. Tuo tarpu Pytas ir Kim spaudinėjo automobilio langų mygtukus, tad šie be paliovos tai kilo, tai leidosi. Galiausiai Volteris neištvėrė ir prisakė vaikams liautis. Diena pasitaikė vaiski, tačiau naktinės šalnos pėdsakai jau perspėjo apie artėjantį rudenį. Jie nuvažiavo į „Stepfordo Centrą“ (visur baltos spalvos kolonijinio stiliaus parduotuvių pastatai, gražučiai tarsi atvirukuose), kad panaudotų nuolaidų kuponus buities prekėms ir vaistams įsigyti. Tuomet pasuko į pietus Devintąja

* *Kate Millet* (g. 1934, tikrasis vardas *Kathryn Murray*) – JAV moterų judėjimo aktyvistė, politikė, rašytoja, menininkė, filosofijos daktarė.

gatve link naujojo milžiniško prekybos molo. Čia už nuolaidų kuponus nupirko batus Pytui ir Kim (tai bent aptarnavimas!) ir dar „Džiunglių raizgalynę“ vaikams laipioti (tiesa, be nuolaidų kupono). Po to į rytus Ystbridžo plentu link „McDonald's“ restorano (bigmakai, šokoladiniai kokteiliai) ir dar tolyn, į antikvariatą (aštuonkampis staliukas be kilmės dokumentų). Galiausiai šeimos automobilis dar kartą perskrodė visą Stepfordą skersai ir išilgai (Priekalo, Šaltojo užutekio plentas, Hanikatas, Bebro uodega, Miestelėnų gūbrys). Mat tėvai troško parodyti Pytui ir Kim naująją mokyklą (Džoana ir Volteris jau viską apžiūrėjo, ieškodami namo apsigyventi) bei kitas mokslo įstaigas, kurias vaikai lankys. Jie taip pat apžiūrėjo pastatą, kurio paskirties neįmanoma atspėti, kol neužeisi vidun. Tai buvo aplinkos neteršiantis krematoriumas. Vaikai išvydo ir lauko iškylų aikštelių kompleksą. Čia buvo statomas atviras baseinas. Paprašyta Pyto, Džoana dainavo „Labas rytas, sauluže“. Vėliau visi užtraukė „Maknamaros orkestrą“. Dainos pabaigoje kiekvienas atkartojo skirtingą muzikos instrumentą. Baigėsi tuo, kad Kim apsivėmė. Tik, ačiū Dievui, kad ji laiku pasiprašė, tad Volteris spėjo sustabdyti automobilį, atsegti saugos diržą ir ištraukti mergaitę laukan.

Šis įvykis visus šiek tiek apramino. Jie važiavo atgal per „Centrą“. Pabrėžtinai lėtai, nes Pytas pareiškė taip pat *galįs* apsivemti. Volteris mostelėjo ranka link balto bibliotekos pastato, o vėliau parodė tokį pat baltą Istorijos draugijos kotedžą.

Kim, žvelgdama aukštyn pro langą, nurijo bemaž sučiulptą mėtinį ledinuką ir pasidomėjo:

– O kieno tas didelis namas?

– Čia Vyrų draugijos namai, – paaiškino Volteris.

Pytas palinko pirmyn tiek, kiek leidžia prisegtas diržas, ištiesė kaklą ir pažvelgė nurodyta kryptimi.

– Ar vakare tu eisi į šituos namus? – pasiteiravo berniukas.

– Taip, – patvirtino Volteris.

– O kaip tu nuvažiuosi?

– Ten toliau, įkalnėje, yra įvažiavimas.

Jie pasivijo sunkvežimį atviru kėbulu, kuriame stovėjo vyriškis, mūvįs chaki spalvos kelnes ir abiem rankomis įsitvėręs už kraštų. Tas rudaplaukis, pailgo ir lieso veido žmogus dėvėjo akinius.

– Juk čia Garis Kleibrukas, taip? – prabilo Džoana.

Volteris nuspaudė automobilio garso signalą ir, iškišęs ranką pro langą, pamojo.

Jų kaimynas iš anapus gatvės pasilenkė pasižiūrėti, kas čia triukšmauja. Išvydęs Eberhartus, jis nusišypsojo, pamojavo ir vėl įsitvėrė už sunkvežimio kraštų. Džoana taip pat šyptelėjo ir pamojo kaimynui.

Kim suklykė:

– Labas, pone Kleibrukai!

O Pytas sušuko:

– Kur Džeremis?

– Jis tavęs negirdi, – patikino Džoana.

– Kaip aš norėčiau šitaip pasivažinėti sunkvežimiu! – pareiškė Pytas.

– Aha! Aš irgi, – pritarė broliui Kim.

Sunkvežimis šliaužė it vėžlys. Džerškėdamas ir pūškuodamas jis stūmėsi stačiu šlaitu aukštyn. Garis Kleibrukas jiems droviai nusišypsojo. Sunkvežimio kėbulas buvo perpus užgriozdintas mažomis kartono dėžutėmis.

– Ką jis čia veikia? „Chaltūrina“ ? – nusistebėjo Džoana.

– Tikrai ne, jeigu tikrai uždirba tiek, kiek sakė Tedas, – nuramino žmoną Volteris.

– Eik tu?

– Ką reiškia „chaltūrina“? – susidomėjo Pytas.

Sumirgėjo raudonosios sunkvežimio šviesos. Netrukus jis sustojo. Mirkčiojo kairysis posūkio signalas.

Džoana paaiškino, jog „chaltūrinti“, – vadinasi, „uždarbiauti papildomai“.

Automobilis nėrė nuokalnėn, tuo tarpu sunkvežimis pasuko skersai kelio į kairę.

– Ar čia tas įvažiavimas? – pasiteiravo Pytas.

Volteris linktelėjo ir patvirtino:

– Taip, čia.

Kim dar labiau atvėrė automobilio langą ir vėl sušuko:

– Sveiki, pone Kleibrukai!

Kai automobilis važiavo pro sunkvežimį, ji puolė mojuoti.

Pytas spragtelėjo saugos diržo sagtį, apsisuko ir pašokęs atsiklaupė ant galinės sėdynės.

– O galima ir man kada nors su tavimi ten eiti? – ištarė berniukas, žvelgdamas pro galinį stiklą.

– Mm-mmmn, deja, – numykė Volteris. – Vaikų ten neįleidžia.

– Geras! Jie turi milžinišką tvorą! – apstulbo Pytas. – Visai kaip seriale „Hogano didvyriai“.

– Kad moterys neprasibrautų, – pareiškė Džoana. Ji ramiai žvelgė pirmyn ir viena ranka prilaikė savųjų saulės akinių rėmelius.

Volteris šyptelėjo.

– Rimtai? – nepatikėjo Pytas. – Dėl to ir užtvėrė tokią tvorą?

– Pytas atsisegė diržą, – paskundė brolį Kim.

– Pytai, – tepasakė Džoana.

Jie važiavo Norvudo plentu, po to pasuko į vakarus, į Žiemos kauburio kelią.

Tiesą sakant, ji neketino imtis jokių namų ruošos darbų. Ne todėl, kad jų nebuvo susikaupę. Anaiptol. Ji netgi mielai kibtų tvarkyti knygų lentynas svetainėje. Bet tik ne šįvakar. Nė už ką! Tai buvo principo dalykas. Nieko tokio. Velniai griebtų, darbai palauks. Ji ne kokia Kerolė Van Sant ar Merė Ana Stavros. Šitaip mintydama Džoana tempė dulkių siurblį. Atsidūrusi prie žemutinio aukšto lango, ji užsuko į Pyto kambarį nuleisti naktinę užuolaidą.

Nė už ką. Volteris išėjo į Vyrų draugijos susirinkimą. Na ir gerai. Jis *privalėjo* ten nueiti, kad įstotų į organizaciją. Ir turės vaikščioti į tuos susirinkimus kartą ar du per savaitę, kad toji organizacija bent kiek pasikeistų. Tačiau ji tikrai nesiims namų ruošos, kol vyras sėdi tame susirinkime (bent jau ne šį pirmąjį kartą). Lygiai taip pat *jis* neprivalo kibti į darbą, kai *ji* išeis pasižmonėti. Beje, pasižmonėti ji ketino jau kitą vaiskios mėnesienos nutviekstą vakarą. Norėjo kaip reikiant pastudijuoti „Centro" parduotuvių „repertuarą". (Galbūt netaisyklingi parduotuvių vitrinų stiklai kaip nors įdomiai iškraipo mėnulio atspindį.)

Kai tik Pytas ir Kim kietai įmigo, Džoana nusileido į rūsį. Čia, sandėliuke, kurį ketino paversti tamsiuoju kambariuku nuotraukoms ryškinti, ji šį tą išmatavo ir nupiešė projektą. Tuomet vėl užlipo viršun, žvilgtelėjo ar nepabudo vaikai, įsipylė taurę degtinės su toniku ir nusinešė gėrimą į jaukų darbo kambarį. Ten įjungė radiją, kuris transliavo beprotiškai sentimentalią, tačiau vis tiek mielą berods Ričardo Rodžerso* muziką. Džoana atsargiai pastūmė kažkokius Volterio popierius,

---

* *Richard Rodgers (1902–1979)* – amerikiečių kompozitorius, garsiausių klasikinių Brodvėjaus miuziklų (*„Muzikos garsai", „Oklahoma!", „Karuselė", „Karalius ir aš")* autorius.

sukrautus pačiame stalo viduryje, susirado didinamąjį stiklą, raudoną pieštuką ir lapus su sumažintais nuotraukų pavyzdžiais. Fotografavo ji paskubom, prieš pat išsikraustant iš didmiesčio. Kaip ir manė, dauguma tų nuotraukų buvo niekam tikusios (nuotraukos niekuomet nepavykdavo, jeigu ji skubėdavo). Tačiau, apžiūrinėdama pavyzdžius, Džoana surado vieną, kuris ją itin sujaudino. Toje nuotraukoje buvo matyti gerai apsirengęs juodaodis, laikantis dokumentų aplanką ir rūsčiai žvelgiantis įkandin laisvo taksi automobilio, kuris ką tik pravažiavo pro šalį, bet nesustojo. Gerai padidinus to žmogaus veido išraišką ir patamsinus foną, kad išryškėtų miglotas taksi automobilio vaizdas, išeitų įspūdinga nuotrauka. Tokia, kurią mielai (ji tuo neabejojo) įsigytų agentūra. Nuotraukos rasinių prieštaravimų tema itin paklausios.

Ji pažymėjo žvaigždute minėtą pavyzdį ir toliau tęsė paieškas. Tikėjosi rasti ir kitų tokių pat gerų arba bent jau pakenčiamų nuotraukų. Staiga Džoana prisiminė atsinešusi taurę degtinės su toniku, todėl nieko nelaukusi gurkštelėjo.

Penkiolika po vienuolikos ji pasijuto nuvargusi, todėl viską sukrovė savo stalo pusėje, padėjo Volterio popierius į ankstesnę vietą, išjungė radijo imtuvą, nunešė tuščią taurę į virtuvę ir išplovė. Patikrino, ar užrakintos durys, išjungė šviesą (paliko degti tik vieną žibintą prieškambaryje) ir užlipo laiptais į viršų.

Kim žaislinis drambliukas mėtėsi ant grindų. Džoana jį pakėlė ir pakišo po dukters antklode, greta pagalvės. Tuomet užtempė antklodę, pridengdama Kim petukus ir lengvai paglostė jos garbanas.

Pytas miegojo ant nugaros pravira burna. Berniukas gulėjo lygiai taip pat, kai ji paskutinį sykį buvo užsukusi į kambarį. Ji luktelėjo, kol išvydo, kaip kilojasi jo krūtinė, tuomet plačiau pravėrė duris, išjungė šviesą koridoriuje ir nuėjo į jųdviejų su Volteriu kambarį.

Džoana nusirengė, susirišo plaukus juostele, išsitepė veidą kremu, išsivalė dantis ir nuėjo miegoti.

Gulėdama ant nugaros, ji ištiesė į šoną dešinę ranką ir koją. Jai šalimais neparastai trūko Volterio, tačiau erdvės pojūtis ir vėsios paklodės švelnumas nuteikė itin maloniai. Kiek kartų po jųdviejų vedybų ji miegojusi viena? Nedaug. Kai Volteris išvyko į komandiruotę tvarkyti darbo reikalų, kai ji su vaikais atsidurdavo ligoninėje, kai dingo elektra, kai ji išvyko gimtinėn į dėdės Berto laidotuves. Viso labo kokius dvidešimt ar dvidešimt penkis kartus per visus dešimt su trupučiu metų. Dievaži, ji vėl pasijuto esanti Džoana Ingols. Ar dar kas nors tokią pamena?

Ji klausė savęs, ar tik Volteris negrįš namo girtas kaip dūmas. Juk tame sunkvežimyje, kuriuo važiavo Garis Kleibrukas, buvo alkoholio (o gal tos dėžutės per mažos buteliams pakuoti?). Betgi Volteris nevairuoja. Jie išvažiavo Viko Stavroso automobiliu. Tai tegul sau prisisiurbia. Nors mažai tikėtina. Volteris bemaž niekada nenusigerdavo. O ką, jeigu Vikas Stavrosas užlips ant kamščio? Ten tokie staigūs posūkiai Norvudo plente...

Ak, velniop! Kurių galų ji nervinasi?

Lova kažkodėl tirtėjo. Džoana gulėjo tamsoje stebeilydama į juodą atdarų vonios kambario durų kiaurymę ir spintelės rankenėlių žybsėjimą. Tuo tarpu lova toliau sūpavo Džoaną lėtu vienodu ritmu. Kiekvieną krestelėjimą lydėjo silpnas girgždančių spyruoklių garsas. Dar ir dar, ir dar kartą. Dieve, juk tai Volteris tirta! Jį krečia karštis! O gal baltosios karštinės priepuolis? Ji apsisuko, pasirėmė viena ranka ir palinko virš Volterio, stangėdamasi bent šį tą įžiūrėti ir pasiekti laisva ranka jo kaktą. Vyras tik subaltakiavo ir kaipmat nusigrįžo. Tarsi vengtų Džoanos. Jis nusigrįžo visu kūnu. Tačiau Džoana dar spėjo pastebėti antklodės kauburį Volterio tarpkojyje. Dabar vyras gulėjo ant šono, todėl ji matė tik jo klubo kontūrus. Lova nurimo.

Juk Volteris... masturbavosi?

Ji tylėjo, nežinodama, ką pasakyti.

Galiausiai atsisėdo.

– Pamaniau, kad tau baltoji karštinė, – pasakė ji. – Ar pakilo temperatūra.

Jis gulėjo nejudėdamas.

– Nenorėjau žadinti tavęs, – pagaliau ištarė. – Jau po dviejų.

Ji sėdėjo lovoje ir mėgino atgauti kvapą.

Jis tysojo kitoje lovos pusėje ir tylėjo.

Džoana nužvelgė visą kambarį, langus ir baldus, tokius blyškius nuo naktinės šviesos, sklindančios iš Pyto ir Kim vonios kambario. Ji pasitaisė plaukų juostelę ir patrynė ranka diafragmą.

– Galėjai ir pažadinti, – susikaupusi ištarė Džoana. – Aš tikrai nebūčiau prieštaravusi.

Jis nieko neatsakė.

– Jėzau, tau tikrai *to* nereikia, – pasakė ji.

– Paprasčiausiai nenorėjau tavęs žadinti, – dar kartą pakartojo Volteris. – Tu kietai miegojai.

– Tiek to. Bet kitąsyk būtinai pažadink.

Jis vėl atvirto ant nugaros. Kauburio neliko.

– Ar tu...? – atsargiai pasiteiravo ji.

– *Ne,* – patikino jis.

– Štai kaip, – tarstelėjo Džoana ir nusišypsojo. – Na, tuomet aš jau visai pabudau.

Ji prigulė greta Volterio, pasisuko ir ištiesusi ranką jį apglėbė. Jis savo ruožtu pasisuko į Džoaną, jiedu apsikabino ir pasibučiavo. Ji pajuto viskio skonį.

– Aš suprantu, kad mane tausoji, – Džoana sušnibždėjo jam į ausį, – bet tik ne šitaip. Jėzau!

Tą kartą Džoana prisimins ilgai. Jau seniai jai buvo šitaip gera. Vienas geriausių „lovos nuotykių“ (bent jau Džoanai).

– Oho, – pratarė ji, išeidama iš vonios kambario. – Aš vis dar negaliu atgauti jėgų.

Volteris jai nusišypsojo. Jis sėdėjo lovoje ir rūkė. Džoana įsilipo į lovą ir patogiai susirangė Volterio glėbyje, vieną jo ranką uždėdama sau ant krūtinės.

– Ką tu ten su jais veikei? – pasidomėjo Džoana. – Pornuškės prisižiūrėjai, ar kurį galą?

Jis šyptelėjo.

– Ne. Aš nesu laimės kūdikis, – ištarė jis. Jis pridėjo cigaretę Džoanai prie lūpų, ir ši užtraukė dūmą.

– Prie kortų stalo pralošiau aštuonis su puse dolerio, – toliau pasakojo Volteris. – Priedo išūžė man ausis savo kalbomis apie miestelio Planavimo valdybos piktus kėslus dėl Ystbridžo plento.

– O aš išsigandau, kad grįši girtas kaip pėdas.

– Kaip pėdas? Ar aš? Išgėriau tik dvi stiklines viskio. Jie daug negeria. O ką *tu* veikei?

Ji papasakojo vyrui. Užsiminė ir apie viltis, kurias sieja su ta juodaodžio nuotrauka. Jis savo ruožtu papasakojo apie kitus susirinkimo dalyvius: pediatrą, kurį jam primygtinai rekomendavo Van Santai ir Kleibrukai, žurnalo dailininką, tikrą Stepfordo įžymybę, dar du advokatus, psichiatrą, policijos viršininką, „Centro“ prekyvietės valdytoją.

– Psichiatras tikrai turėtų pritarti moterų dalyvavimui tokiuose susiėjimuose, – pareiškė ji.

– Tai kad jis pritaria, – pareiškė Volteris. – Kaip ir daktaras Veris. Kitų dalyvių požiūrio neišsiaiškinau. Nenorėjau jau pirmą vakarą pasirodyti esąs tikras aktyvistas.

– Kada vėl ten eisi? – paklausė Džoana ir staiga išsigando (kodėl?), kad jis atsakys: *„rytoj"*.

– Nežinau, – gūžtelėjo Volteris. – Klausyk, aš tikrai nesiruošiu gyventi taip, kaip Tedas ar Vikas ir tupėti ten kiekvieną vakarą. Manau, eisiu kartą per savaitę, ir viskas. Nežinau. Viskas kvepia tikra provincija.

Ji nusišypsojo ir prisiglaudė dar arčiau.

Džoana nulipo mažne trečdalį laiptų (ji ėjo apgraibomis, jausdama, bet nematydama, kur dėti koją, nes dėl aukšto turėklo laikė tą prakeiktą skalbinių krepšį prie pat veido), kai staiga nei iš šio, nei iš to suskambo (irgi prakeiktas) telefonas.

Ji negalėjo padėti krepšio ant laiptų. Jis būtų nukritęs. Vietos apsisukti taip pat nebuvo, todėl grįžti atgal neįmanoma. Taigi ji lėtai tęsė kelionę laiptais žemyn, atsargiai statydama pėdas, ir visąlaik mintyse kartojo: *„Gerai jau, gerai"*. Mat telefonas įkyriai skambėjo ir tarsi kantriai laukė, kol ji prieis.

Pagaliau Džoana nulipo žemyn, padėjo krepšį ant grindų ir nužingsniavo prie darbo stalo.

– Klausau, – šaltai atsiliepė Džoana. Be jokio dirbtinio meilumo. Jos balsas visiškai atitiko savijautą.

– Sveiki, ar čia Džoana Eberhart? – balsas kitame ragelio gale buvo rėklus, linksmas ir gergždžiantis. Labai panašus į Pegės Klavenger. Tik kad toji Pegė Klavenger, kiek girdėjo Džoana, dirba laikraštyje *„Paris-Match"*. Ji net nežino, kad Džoana ištekėjo, jau nekalbant apie gyvenamosios vietos pakeitimą.

– Taip, – patvirtino ji. – Kas kalba?

– Šiaip tai mūsų niekas nesupažindino, – vėl sudžeržgė nepažįstamoji Pegės Klavenger balsu, – tačiau tą klaidą aš tuoj pat ištaisysiu. Bobe, susipažinkite su Džoana Eberhart. Džoana, susipažinkite su Bobe Markove. Mano pavardė MARKOVĖ. Bobė jau penkias savaites gyvena šiame „Ajakso" vartotojų kaime ir labai norėtų susipažinti su „aistringa fotografe entuziaste, besidominčia politika ir Moterų išsivadavimo judėjimu". Juk tai jūs, Džoana. Bent jau sprendžiant iš to, ką apie jus sako *„Stepfordo kronika"*. Nors pagal laikraščio pobūdį čia labiau tiktų žodelis *„chroniška"*. Ar leidinys apie jus perteikė tikslią informaciją? Nejaugi jums tikrai nerūpi, kokios spalvos muilinės yra geresnės – rausvos ar mėlynos – ir atvirkščiai? Nejaugi, gavusi visišką laisvę rinktis, jūs tuoj pat *nepultumėt* prie tualetinio popieriaus „Charmin"? Alio? Ar dar girdite mane, Džoana? Alio?

– Alio, – ištarė Džoana. – Taip, aš jus girdžiu. *Ir dar kaip* girdžiu! Alio! Velniai griebtų, o dar sako, kad neapsimoka reklamuotis!

– Kaip malonu matyti betvarkę virtuvėje! – sušuko Bobė. – Tačiau ši neprilygsta maniškei. Čia nerasi riešutų sviesto atspaudų ant spintelių. Bet šiaip tikrai gerai. Sakyčiau, netgi labai. Sveikinu.

– Jeigu pageidaujate, galiu aprodyti dulsvus ir apšepusius vonios kambarius, – pasiūlė Džoana.

– Ačiū. Užteks ir puodelio kavos.

– Ar tirpi tiks?

– Nejaugi būna ir kitokios?

Ji buvo žemaūgė storu užpakaliu, dėvinti medvilninį sportinį nertinį, mūvinti džinsus ir avinti sandalus. Priedo plačiaburnė neįtikimai baltais dantimis, mėlynomis, viską pastebinčiomis akimis ir trumpai kirptais, kuokštais augančiais plaukais. Pridėkite dar mažas rankutes ir purvinus kojų pirštus. O taip pat vyrą Deivą, biržos analitiką, tris: dešimties, aštuonerių ir šešerių metų amžiaus sūnus, seną anglų bandšunį bei Velso veislės šunėką. Štai jums ir Bobė. Ji atrodė jaunesnė už Džoaną. Gal kokių trisdešimt dvejų ar trejų. Viešnia išgėrė du puodelius kavos, suvalgė du šokoladinius riestainius ir papasakojo Džoanai apie moteris iš Lapės olos gatvės.

– Pradedu manyti, jog paskelbtas nacionalinis konkursas, apie kurį nieko negirdėjau, – tarė Bobė, laižydama šokoladu išteptus savo pirštų galiukus. – Per kitas Kalėdas švariausių namų šeimininkė gaus pagrindinį prizą – milijoną dolerių ir dar priedo Polą Njumeną. Aplink tik ir girdžiu, kaip kažkas valo, skalbia, trina, *šveičia*, blizgina, vaškuoja, vaškuoja, *vaškuoja... košmaras!*

– Čia dedasi lygiai tas pats, – patikino Džoana. – Netgi naktimis! O visi vyrai priklauso...

– Vyrų draugijai! – triumfuodama užbaigė Bobė.

Jos kalbėjosi apie neteisybę, jau atgyvenusią moterų diskriminaciją ir tikrą *skriaudą*. Šiame miestelyje neveikė nė viena moterų organizacija. Netgi Moterų balsuotojų lyga.

– Patikėk manim, iššukavau šitą užkaborį skersai išilgai, – patikino Bobė. – Yra Sodininkių klubas ir keletas nukvakusių bobų būrelių prie bažnyčios, tačiau manęs ten vis tiek niekas nelaukia. Pavardė „Markovė“ yra kiek patobulinta „Markovic“ versija. Mieste įsikūrusi tokia labai moterų nediskriminuojanti Istorijos draugija. Tik ir laukia, kad užeitum ir pasisveikintum. Tikra gyvų lavonų gvardija.

Bobės vyras Deivas taip pat priklausė Vyrų draugijai, nes, kaip ir Volteris tikėjo, kad organizaciją įmanoma pakeisti iš vidaus. Tačiau Bobė nebuvo naivi kvaiša:

– Tu pamatysi, jau greičiau mudvi prisirakinsime grandinėmis prie tos aukštos tvoros, nei ten kas nors pasikeis. Beje, jei jau prakalbome *apie* tvorą. Galima pamanyti, kad jie ten opijaus gamyklėlę atidarė!

Jos aptarė galimybes įtraukti į savo ratą kai kurias kaimynes. Apie atvirą pokalbį, kuris pažadintų jas iš miego ir pastūmėtų aktyviau dalyvauti miestelio gyvenime. Tačiau abi sutiko, jog visos jų pažįstamos ne itin apsidžiaugtų netgi dėl tokio mažučio žingsnio link išsivadavimo. Jos kalbėjosi apie Nacionalinę moterų organizaciją, kuriai abi priklausė, ir apie Džoanos nuotraukas.

– Dieve mano, tos nuotraukos tiesiog *puikios*! – sušuko Bobė, pažvelgusi į keturis didžiulius įrėmintus Džoanos darbus, kurie kybojo darbo kambaryje. – Jos tiesiog *nuostabios!*

Džoana padėkojo už įvertinimą.

– „Aistringa fotografė entuziastė"! Jėzau, aš pamaniau, kad „Polaroidu" fotografuoji vaikus! O tavo darbai *žavingi*!

– Dabar, kai Kim ėmė lankyti darželį, aš kaip reikiant kibsiu į darbą, – pasakė Džoana.

Ji palydėjo Bobę iki automobilio.

– Velniai griebtų, *ne*, – staiga pareiškė Bobė. – Reikia bent jau *pamėginti*. Pasikalbėkime su tomis namų šeimininkėmis. Juk turi atsirasti bent *kelios*, kurias piktintų tokia padėtis. Ką pasakysi? Juk būtų išties puiku suburti grupę, gal netgi Nacionalinės moterų organizacijos padalinį ir kaip reikiant papurtyti tuos šmikius iš Vyrų draugijos? Deivas ir Volteris tik apgaudinėja save. Draugija nepasikeis, nebent ji bus *priversta* pasikeisti. Gerai finansuojamos organizacijos niekad nesikeičia. Tai kaip, Džoana? Paklausinėkime?

Džoana pritariamai linktelėjo.

– Manau, kad vertėtų, – pasakė ji. – Juk neįmanoma, kad jos visos būtų tokios laimingos, kokios atrodo.

Ji pasišnekėjo su Kerole Van Sant.

– Oho! Tikrai ne, Džoana, – patikino Kerolė. – Manęs šis dalykas visai nedomina. Bet-aaa vis tiek dėkui, kad pakvietei.

Ji kaip tik valė plastikinę skiriamąją sienelę Steisės ir Alison kambaryje, todėl tvirtais didžiulės geltonos kempinės mostais šluostė perdangos klostes, labai primenančias akordeono dumples.

– Tai truktų viso labo keletą valandų, – mėgino įkalbėti Džoana. – Vakarais arba, jeigu tai bus paranku visoms, kartą kitą ir pamokų metu.

Kerolė pasilenkė norėdama išvalyti apatinę perdangos dalį ir pasakė:

– Atsiprašau, bet aš tikrai neturiu laiko tokiems dalykams.

Džoana kurį laiką įdėmiai žvelgė į moterį.

– Argi jums visiškai nusispjaut, – pradėjo Džoana, – kad pagrindinė Stepfordo organizacija, vienintelė, kuri šį tą reikšminga nuveikia bendruomenės labui, yra visiškai neprieinama moterims? Ar jums tas neatrodo kiek archajiška?

– Ar-cha-jiš-ka? – pakartojo Kerolė išspausdama kempinę kibire su muilo putomis.

Džoana pažvelgė į ją.

– Pasenę, senamadiška, – paaiškino ji.

Kerolė išgręžė kempinę virš kibiro.

– Ne, man tas neatrodo archajiška, – pareiškė ji.

Moteris atsitiesė ir ištiesė ranką su kempine link kitų perdangos klosčių.

– Tedas geriau supranta tokius dalykus nei aš, – paaiškino ji ir vėl įniko tvirtais, tobulai įvaldytais, vienodais mostais šluostyti klostes.

– Be to, vyrams reikia vietos, kur jie atsipalaiduotų ir išlenktų taurelę kitą, – ištarė Kerolė.

– O moterims nereikia?

– Ne, ne taip labai, – Kerolė papurtė raudonplaukę galvą (nepriekaištinga šukuosena priminė šampūno reklamą per televiziją), tačiau nesiliovė šiūravusi kempine. – Atsiprašau, Džoana. Aš nelabai turiu laiko suėjimams.

– Ką gi, – tarstelėjo Džoana. – Jeigu kartais apsigalvosite, būtinai praneškit.

– Ar labai supyksit, jei nepalydėsiu žemyn?

– Aišku, kad ne. Pati išeisiu.

Ji pasikalbėjo su Barbara Čamalian, kuri gyveno priešais Van Santus.

– Dėkui už kvietimą, tačiau aš tikrai nesuspėsiu, – pareiškė Barbara. Toji moteris buvo rudaplaukė, ketvirtainio smakro būtybė, dėvinti aptemptą rausvą suknelę, kuri tik dar labiau išryškino ypač puikią figūrą.

– Loidas dažnai užsibūna miestelyje darbo reikalais, – pasakė ji. – Tais vakarais, kai niekur neužtrunka, jis mielai eina į Vyrų draugijos susirinkimą. Nenorėčiau samdyti auklę tik porai...

– Galėtume susirinkti, kol vaikai mokykloje, – pasiūlė Džoana.

– Ne, – nukirto Barbara. – Geriau išbraukite mane iš sąrašo.

Ji nusišypsojo. Plačia ir patrauklia šypsena.

– Tačiau aš džiaugiuosi, kad susipažinome, – pridūrė. – Gal užeitumėt vidun ir prisėstumėt. Aš kaip tik laidau.

– Dėkui, kitą kartą, – pasakė Džoana. – Turiu šnektelti ir su kitomis moterimis.

Ji pasišnekėjo su Mardže Makormik: („Atvirai pasakius, manęs tokie dalykai visai nedomina“), Kite Sandersen: („Bijau, kad nerasiu laiko; tikrai apmaudu, ponia Eberhart“) ir

Dona Kleibruk: („Kokia puiki mintis, bet aš pastaruoju metu taip užsivertusi darbais. Vis tiek dėkui už kvietimą.“).

Vėliau „Centro“ prekyvietėje, viename praėjimų, ji susitiko Merę Aną Stavros.

– Ne, aš tikrai neturiu laiko tokiems dalykams. Žinote, namuose susikaupė tiek daug visokiausių darbų.

– Bet jūs *retkarčiais* išeinate pasižmonėti? – pasidomėjo Džoana.

– Žinoma, kad išeinu, – patikino Merė Ana. – Aš ir dabar žmonėjuosi, argi ne taip?

– Turėjau minty, ar išeinate *atsipalaiduoti*?

Merė Ana nusišypsojo ir papurtė galvą. Džoana pastebėjo, kaip subangavo jos lygių šviesių plaukų sruogos.

– Ne. Nepasakyčiau, kad dažnai, – pasakė Merė Ana. – Tai kad man nelabai ir reik to atsipalaidavimo. Sudiev.

Ir toji moteris nužingsniavo, stumdama prekių vežimėlį. Po kurio laiko ji stabtelėjo, paėmė iš lentynos kažkokią skardinę, apžiūrėjo ją, kruopščiai įdėjo į vežimėlį ir patraukė tolyn.

Džoana žiūrėjo pavymui, po to metė žvilgsnį į kitos, lėtai prošal einančios moters vežimėlį. *„Dieve švenčiausias,* – pagalvojo Džoana, *– jos netgi prekes į vežimėlius sukrauna tvarkingai!“* Tuomet ji pažvelgė į savąjį vežimėlį: netvarkinga krūva dėžučių, skardinių ir stiklainių. Kaltės jausmas ir nenumaldomas noras viską gražiai sudėlioti pervėrė it peilis. Tačiau Džoana tuoj pat pagalvojo: *„Tegul aš skradžiai prasmegsiu, jei taip padarysiu!“* Ji pačiupo nuo lentynos dėžutę skalbiamųjų miltelių „Ivory Snow“ ir įsimetė ją į vežimėlį (jai net nereikėjo to prakeikto daikto!).

Džoana daktaro Verio laukiamajame šnektelėjo su vienos Kim grupiokės motina, taip pat su Ivona Waizgalt, gyvenančia priešais Stavrosus, dar su Džile Berk, įsikūrusia šalimais. Visos jos atmetė Džoanos pasiūlymą, teisindamosis laiko stygiumi ar nesidomėjimu „tokiais reikalais". Todėl tikėtis, kad jos panorės susipažinti su kitomis moterimis ir pasidalinti išgyvenimais bei patirtimi – buvo bergždžias dalykas.

Bobei sekėsi dar blogiau, turint galvoje, kad ji kalbino bemaž dvigubai daugiau moterų.

– Užkibo tik viena, – pareiškė ji Džoanai. – Viena aštuoniasdešimt penkerių metų našlė, kuri įsitempė mane pro duris ir įkalino bemaž valandą, versdama sėdėti jos tyškančių seilių lietuje. Kai tik sumanysim nusiaubti Vyrų draugiją, Eda Mei Hamilton mielai mums pagelbės. Bet kada.

– Mums vertėtų su ja pabendrauti, – pareiškė Džoana.

– Pala, pala. Mes dar nebaigėme!

Visą rytą jos drauge įkalbinėjo miestelio moteris burtis į grupę. Pagal teoriją (Bobės), jeigu jos kalbės dviese iš anksto sutartomis dviprasmybėmis, tai pašnekovė viską supras kaip viltingą užuominą apie jau egzistuojančią moterų gvardiją, kurioje atsirastų vietos dar vienai bendražygei. Iš to nieko neišėjo. Teorija žlugo.

– Va-jė-zau! – išpyškino Bobė, įnirtingai spausdama paskutinį prakaitą iš savo vargšo automobilio, kai šis kerėplino į Striukąjį kalvagūbrį. – Čia rimtai vyksta kažkas *įtartina!* Atsidūrėme miestelyje, kuriame sustojo laikas!

Vieną popietę Džoana paliko prižiūrėti Pytą ir Kim šešiolikmetei Melindai Stavros, sėdo į traukinį ir išvažiavo į miestą, kur itališko maisto restorane netoli teatro susitiko su Volteriu bei jųdviejų draugais Šepu ir Silvija Takouveriais. Ji džiaugėsi vėl matydama Šepą ir Silviją. Tai buvo linksma, paprasta ir veikli pora, išgyvenusi keletą skaudžių likimo smūgių (nuskendo jų keturmetis sūnelis). Džoana džiaugėsi vėl atsidūrusi didmiestyje. Ji mėgavosi judraus restorano spalvomis ir bruzdesiu.

Ji ir Volteris papasakojo draugams apie Stepfordo grožį ir ramybę, taip pat apie privalumus gyvenant nuosavame, o ne daugiabučiame name. Ji neužsiminė, kokios Stepfordo moterys namisėdos ir buities darbų gerbėjos. Nutylėjo ir apie visišką visuomeninės veiklos nebuvimą. Džoanai toptelėjo, jog tai gryna tuštybė: nenoras tapti netgi Šepo ir Silvijos užuojautos objektu. Tačiau ji papasakojo draugams apie linksmąją Bobę ir apie puikias, neperpildytas Stepfordo mokyklas. Volteris neužsiminė apie Vyrų draugiją, todėl ir ji nutylėjo. Silvija, kuri dirbo miesto Gyvenamųjų rajonų statybos ir plėtros valdyboje, tikrai būtų išvirtusi iš klumpių.

Tačiau pakeliui į teatrą draugė įdėmiai pažvelgė į Džoaną ir pasakė:

– Kiek suprantu, sunku prisitaikyti?

– Beveik, – tarstelėjo Džoana.

– Pamatysi, viskas bus gerai, – nukirto Silvija ir nusišypsojo. – O kaip fotografijos menas? Tikriausiai lakioji ant sparnų? Į viską žvelgi kitomis akimis, tiesa?

– Aš nė velnio nepadariau, – apmaudžiai atšovė Džoana. – Visą tą laiką mudvi su Bobe it pamišėlės lakstėme po miestelį, mėgindamos sukelti Moterų išsivadavimo bangą. Tiesą pasakius, tas miestelis primena užakusį tvenkinį.

– Lakstyti ir kelti bangas – tikrai ne tavo darbas, – pareiškė Silvija. – Tavo darbas – fotografija. Bent jau turėtų būti.

– Pati žinau, – ištarė Džoana. – Net išsikviečiau santechniką, kad sumontuotų tamsiajame kambariuke kriauklę.

– Volteris man pasirodė pralinksmėjęs.

– Taip ir yra. Ten tikrai gera gyventi.

Spektaklis, kurį jie žiūrėjo, itin populiarus praėjusio sezono miuziklas, labai nuvylė. Grįždami traukiniu namo, kai jiedu keletą minučių pasišnekėjo apie matytą reginį, Volteris užsidėjo akinius, išsitraukė šūsnį popierių ir ėmė darbuotis. Tuo tarpu Džoana pervertė *„Time“* numerį, užsirūkė ir paprasčiausiai sėdėjo žvelgdama į lango tamsą ir kartkartėmis išnyrančius šviesos blyksnius.

Silvija teisi. Jos darbas – fotografija. Velniop tas Stepfordo moteris. Išskyrus, žinoma, Bobę.

Abu automobiliai stovėjo geležinkelio stotyje, todėl iki namų jie važiavo atskirai. Kiekvienas savo mašina. Džoana pirmoji išvažiavo šeimyniniu automobiliu, o Volteris nusekė iš paskos, vairuodamas „Tojotą“. „Centro“ prekyvietėje nesimatė nė gyvos dvasios, o prieigas apšvietė trys gatvės žibintai. Tobulas vaizdas. Džoana davė sau žodį, kad ji fotografuos šioje vietoje ir *nelauks*, kol bus įrengtas tamsus kambariukas. Ji pastebėjo priekinių žibintų šviesas, įžiebtus langus Vyrų draugijos pastate ir automobilį, sukantį įvažiavimo link.

Melinda Stavros jau žiovavo, tačiau vis tiek šypsojosi, o Pytas ir Kim kietai įmigę ramiai gulėjo savo lovose.

Bendrajame kambaryje, ant naktinės lempos staliuko, stovėjo stiklinės išgerto pieno ir tuščios lėkštės, ant grindų priešais kanapą ir ant jos mėtėsi suglamžyti balto popieriaus gumulai, tarp kurių puikavosi tuščias imbierinio limonado butelis.

– *„Dėkui Dievui, kad savo įpročių jos neperduoda dukroms“*, – pagalvojo Džoana.

Kai Volteris nuėjo į Vyrų draugijos susirinkimą trečią kartą, jis paskambino Džoanai maždaug devintą vakare ir pasakė grįžtąs namo drauge su Naujųjų projektų komiteto, kuriame jį paskyrė dirbti praėjusį kartą, nariais. Susirinkimų būstinėje vyko kažkokie statybos darbai (fone ji girdėjo įrengimų ūžesį), todėl jie niekur neįstengė surasti ramios vietelės aptarti reikalus.

– Gerai, – sutiko Džoana. – Kaip tik ketinau išmėžti lauk likusį šlamštą iš tamsaus kambariuko, tad viršuje galėsite ramiai sau...

– Ne, paklausyk, – pertraukė jis. – Noriu, kad pasiliktum viršuje ir dalyvautum pokalbyje. Keletas komiteto narių yra tikri kietakakčiai, nepritariantys moterų dalyvavimui bendruomenės veikloje. Manau, jiems nepakenktų išgirsti keletą pastabų iš protingos moters lūpų. Neabejoju, kad turėsi ką pasakyti.

– Tai jau dėkui. O jie neprieštaraus?

– Čia mūsų namai.

– O gal vis dėlto jums labiau tiktų padavėja?

Volteris nusijuokė į ragelį.

– O, Dieve, tavęs neapmulkinsi, – galop pasakė jis. – Gerai, pasiduodu. Bet man reikia inteligentiškos padavėjos, sutarta? Ar sutinki? Gal ir naudos kokios turėsime.

– Sutarta, – sutiko Džoana. – Penkiolika minučių ir aš būsiu ne tik inteligentiška, bet ir *graži* padavėja. Ar tiks tokia pagalba?

– Nerealiai, tiesiog pasaka.

Jie atėjo penkiese. Vienas jų, guvus žemaūgis ir raudonskruostis vyriškis, kokių šešiasdešimties metų, dažytais ūsais, kurių galiukai atrodė smailūs it dantų krapštukai, buvo žurnalo dailininkas Aikas Mazardas. Džoana šiltai paspaudė jam ranką ir pasakė:

– Net nežinau, ar jūs man patinkate. Juk pavertėte mano paauglystę košmaru. Jūsų tobulos panelės visur karaliavo!

Šis tik sukikeno iš pasitenkinimo ir pasakė:

– O jūs bemaž joms prilygstate.

– Ir dar kaip. Norite lažintis? – atsikirto Džoana.

Kiti keturi vyriškiai buvo daugmaž vienodo amžiaus: bebaigią ketvirtą ir pradedą penktą dešimtį. Aukštas, šiek tiek pasipūtęs juodaplaukis, vardu Deilas Koba, pasirodė esąs draugijos pirmininkas. Jis nusišypsojo Džoanai, žvelgdamas žaliomis akimis, kurios ją iškart nuvertino.

– Labas, Džoana. Malonu susipažinti.

– *„Štai vienas tų kietakakčių,* – pagalvojo Džoana, – *įsitikinusių, kad moterys reikalingos tik kruštis."* Jo ranka pasirodė švelni ir suglebusi.

Pirmininką dar atlydėjo Anzelmas ar Akselmas, Sandersenas ir Rodenberis.

– Susipažinau su jūsų žmona, – pasakė ji Sandersenui. – Jeigu jūs tie patys Sandersenai, gyvenantys anapus gatvės.

– Spėjote susipažinti, tikrai? O, taip, mes tie patys ir vieninteliai Stepfordo Sandersenai.

– Pakviečiau jūsų žmoną kada susibėgti, tačiau ji tvirtino negalėsianti.

– Ji ne itin linkusi bendrauti, – atsakė Sandersenas, tačiau jo akys žvelgė kažkur kitur, bet ne į Džoaną.

– Atleiskit, bet neišgirdau jūsų vardo, – tarė Džoana.

– Herbis, – pasakė vyriškis, žvelgdamas kažkur pro šalį.

Ji palydėjo vyrus į svetainę, tuomet nuėjo į virtuvę atnešti sodos vandens su ledu. Grįžusi viską padavė Volteriui, stovinčiam prie baro spintelės.

– Ar inteligentiška? Ar graži? – šnipštelėjo Džoana. Volteris išsišiepė iki ausų. Ji sugrįžo į virtuvę, kur subėrė į dubenėlius bulvių traškučius ir žemės riešutus.

Kai galiausiai Džoana, rankoje laikydama taurę, pasiteiravo: „Ar galiu atsisėsti?" ir kaipmat įsitaisė ant kanapos krašto, kurį Volteris užėmė jai, nė vienas šio vyrų ratelio narys neprieštaravo. Aikas Mazardas ir Anzelmas ar Akselmas atsistojo, o kiti taip pat ėmė muistytis ketindami pakilti. Tik Deilas Kaba ramiai sėdėjo prie kokteilių staliuko, triauškė riešutus iš saujos ir žvelgė į Džoaną žaliomis niekinančiomis akimis.

Vyrai aptarė pasirengimą „Kalėdinių žaislų" akcijai, o taip pat nagrinėjo projektą „Išsaugokime gamtą". Rodenberio vardas pasirodė esąs Frenkas. Tai buvo malonaus veido, riestanosis ir melsvasmakris vyriškis, kuris šiek tiek mikčiojo. Kobą pravardžiavo Diziu, nors pravardė jam nederėjo. Jie svarstė, ar nepamėginus šįmet „Centre" įžiebti ir Chanukos žvakes, ir įrengti Kalėdų prakartėlę. Po to kalbėjosi apie naujų akcijų ir projektų sumanymus.

– Ar galiu įsiterpti? – pasiteiravo Džoana.

– Žinoma, – sutartinai užgiedojo Frenkas Rodenberis ir Herbis Sandersonas. Koba sėdėjo atsilošęs savo kėdėje ir žiūrėjo į lubas (su panieka, savaime suprantama). Rankos sunertos už galvos, kojos ištiestos į priekį.

– Kaip manote, ar atsirastų galimybė įsteigti vakarinę mokyklą suaugusiems? – paklausė ji. – Arba rengti paauglių ir jų tėvų forumus? Kad ir viename iš mokyklos kabinetų.

– O kokia tema? – pasidomėjo Frenkas Rodenberis.

– Bet kokia, kuri domina visus, – atsakė Džoana. – Pavyzdžiui, narkotikai. Juk mes visi susirūpinę, tačiau *„Kronika"* lyg tyčia tyli ir apsimeta, kad niekas nevyksta. Arba, pavyzdžiui, roko muzika... Nežinau, galima kalbėti *bet kokia* tema, kuri juos suburtų draugėn, priverstų klausytis ir kalbėtis.

– Labai *įdomu*, – pratarė Klodas Anzelmas ar Akselmas. Jis palinko į priekį, užsikėlė vieną koją ant kitos ir pasikasė smilkinį. Toks liesas blondinas. Guvus ir nenustygstantis vietoje.

– Galbūt tokie susiėjimai iškrapštytų iš namų ir *moteris*, – pasakė Džoana. – Beje, jeigu dar nežinojote, tai šis mietelis yra baisiausias visų auklių košmaras.

Vyrai prapliupo juoktis. Džoana iškart pasijuto gerai ir nusiramino. Ji pasiūlė dar kitų temų pokalbiams, dar keletą pridūrė Volteris ir net Herbis Sandersonas. Po to pašnekesiai vėl ėmė suktis apie naujus projektus. Ji taip pat dalyvavo pokalbyje. Tačiau dabar vyrai (išskyrus Kobą, kad jį kur skradžiai) įdėmiai išklausydavo jos nuomonę (Aikas Mazardas, Frenkas, Volteris, Klodas ir netgi Herbis žvelgė tiesiai į ją), dažnai linkčiodavo pritardami ar turiningai klausinėdavo. Džoana jautėsi išties puikiai atsakinėdama į tuos klausimus ir šmaikščiai, ir protingai. *Pasislink, Glorija Stainem!**

Staiga nustebusi ir sutrikusi ji pamatė, kad Aikas Mazardas škicuoja jos portretą. Vyriškis sėdėjo ant kėdės (greta Deilo Kobos, kuris tebespoksojo į lubas) ir mėlynos spalvos rašikliu greitomis krebždeno bloknote. Šį jis laikė pasidėjęs ant kelio (beje, Aikas mūvėjo išties puošnias kelnes). Dailininkas be paliovos žvelgė tai į Džoaną, tai į apmatus popieriaus lape.

Aikas Mazardas! Piešia *jos* eskizą.

Vyrai nutilo. Spoksojo į savąsias stiklines su gėrimais ir jas sukiojo. Girdėjosi tik ledo gabalėlių girgždenimas.

– Baikit! – sušuko Džoana.

Ji pakeitė pozą, nes sėdėjo nepatogiai. Tuomet nusišypsojo ir pasakė:

– Aš juk nesu Aiko Mazardo panelė.

– Visos moterys yra Aiko Mazardo panelės, – pareiškė dailininkas. Jis nusišypsojo Džoanai, o po to šyptelėjo žvilgtelėjęs į eskizą.

---

* *Gloria Steinem* (g. 1934) – garsi JAV žurnalistė ir feminisčių judėjimo lyderė, kovotoja už moterų teises, pirmojo nacionalinio žurnalo moterims „*Ms.*“ (1972 m.) steigėja.

Ji pažvelgė į Volterį. Šis tik nusiviepė sutrikęs ir gūžtelėjo pečiais.

Džoana vėl nukreipė žvilgsnį į Mazardą ir, nepasukdama galvos, nužvelgė kitus vyrus.

Šie žiūrėjo į ją ir suirzę šypsojo.

– *Na va*, dabar visas pokalbis – šuniui ant uodegos, – pareiškė Džoana.

– Atsipalaiduokite, galite judėti, – pasakė Mazardas. Jis atvertė kitą bloknoto puslapį ir piešė toliau.

– Man regis, antroji bei-beisbolo aikštelė nėra jau tokia būtina, – pasigirdo Frenko balsas.

Džoana išgirdo, kaip miegamajame Kim sušuko: "Mamyte!". Tačiau dukters šauksmą išgirdo ir Volteris. Jis palietė Džoanos ranką, padėjo taurę ant staliuko, atsistojo ir eidamas pro Klodą atsiprašė.

Vyriškiai vėl šnekėjosi apie naujus projektus. Ji taip pat įterpė vieną kitą žodelį ir net pajudino galvos, tačiau visąlaik galvojo tik apie tai, kad Mazardas ją stebi ir piešia. Pamėgink vaizduoti Gloriją Stainem, kai Aikas Mazardas piešia tavo eskizą! Ko gero, jis viso labo stengiasi pasirodyti. Juk tokių kaip ji – nors tvenkinį tvenk. O ir apsirengusi ji tikrai ne „Pucci" drabužėliais. O kodėl tie *vyrai* tokie įsitempę? Pašnekesys atrodė priverstinis ir aiškiai beprasmis. Tiesą pasakius, Herbį Sanderseną išmušė raudonis.

Staiga Džoana pasijuto taip, lyg sėdėtų nuoga, o Mazardas pieštų jos nešvankias pozas.

Ji užsikėlė koją ant kojos. Norėjo sukryžiuoti ir rankas, tačiau to nepadarė. *„Jėzau, Džoana, juk jis viso labo pamaiva menininkas. O tu apsirengusi."*

Volteris sugrįžo ir pasilenkė virš jos.

– Kažką susapnavo, – nuramino jis.

Atsitiesęs jis kreipėsi į svečius:

– Gal dar gersite? Dizi? Frenkai?

– Įpilkite man vieną mažą, – paprašė Mazardas, neatitraukdamas akių nuo Džoanos. Jis vis dar škicavo.

– Ar tualetas toje pusėje? – pasiteiravo Herbis ir pakilo iš vietos.

Vėl užsimezgė pokalbis. Tačiau dabar įtampa atlėgo, o svečiai bendravo paprastai ir nerūpestingai.

Nauji projektai.

Seni projektai.

Galiausiai Mazardas įsikišo rašiklį į švarko kišenę ir nusišypsojo.

– Uk! – atsipūtė Džoana.

Koba pakėlė galvą ir, vis dar virš jos laikydamas sunertas rankas, palinko Mazardo pusėn. Jis žvilgterėjo į bloknotą, gulintį ant dailininko kelio. Mazardas tuo tarpu žiūrėjo į Kobą ir vertė bloknoto lapus. Galiausiai Koba linktelėjo ir pasakė:

– Tu nesiliauji stebinęs.

– O man galima pažiūrėti? – paprašė Džoana.

– Žinoma! – pasakė Mazardas. Jis beveik atsistojo, nusišypsojo ir ištiesė jai atverstą bloknotą.

Volteris irgi pažvelgė į eskizus. Frenkas taip pat pasilenkė artyn.

Tai buvo Džoanos portretai. Puslapių puslapiai vien jos atvaizdų. Mažučių, tikslių ir malonių akiai (juk tokie visuomet ir buvo Aiko Mazardo darbai). Veidas iš priekio, trys ketvirtadaliai, profilis. Besišypsanti, nesišypsanti, kalbanti, susiraukusi.

– Jie *puikūs*, – tarė Volteris.

Frenkas pridūrė:

– Jėga, Aikai!

Klodas su Herbiu atsistojo už sofos, kad irgi pamatytų piešinius.

Džoana vertė lapus vieną po kito.

– Jie... nuostabūs, – galiausiai ištarė. – Ir, jeigu tik galima taip pasakyti, visiškai tikslūs...

– Būtent *tokie* ir yra! – patikino Mazardas.

– Telaimina jus Dievas, – ji grąžino bloknotą dailininkui. Šis pasidėjo jį ant kelio, pervertė keletą puslapių ir vėl išsitraukė rašiklį. Ant vieno iš lapų Mazardas kažką užrašė, o tada jį išplėšė ir padavė Džoanai.

Tame lape puikavosi jos trijų ketvirčių veido vaizdas, be šypsenos, tačiau su gerai pažįstamu autoriaus parašu mažosiomis raidėmis: *aikas mazardas*. Ji parodė dovaną Volteriui. Šis padėkojo svečiui:

– Ačiū, Aikai.

– Nėra už ką.

Džoana nusišypsojo Mazardui.

– Dėkoju, – ištarė ji. – Aš atleidžiu jums už sugadintą paauglystę.

Tuomet ji nusišypsojo visiems vyriškiams ir paklausė:

– Ar gersite kavos?

Visi atsakė gersią. Išskyrus Klodą, kuris paprašė arbatos.

Nuėjusi į virtuvę, ji padėjo piešinį ant servetėlių, kurios gulėjo ant šaldytuvo viršaus. *Jos* portretas, tapytas paties Aiko Mazardo! Jūs tik pamanykit! Jeigu kas nors tada, kai ji buvo vienuolikmetė ar dvylikmetė mergiotė ir skaitė mamos žurnalus ir žinynus, būtų pasakęs, kad taip nutiks, ar Džoana būtų patikėjusi? Aišku, ji pasielgė nedovanotinai kvailai, kad šitaip suirzo. Mazardas tikrai malonus žmogus.

Šypsodama ji įpylė vandens į kavavirę, ją įjungė į tinklą, po to įdėjo filtrą, šaukšteliu subėrė kavą ir spustelėjo mygtuką. Galiausiai ji užspaudė plastmasinį kavos skardinės dangtelį ir apsigrįžo. Atsišliejęs tarpduryje stovėjo Koba ir žvelgė į ją. Jo rankos sunertos, petys įsirėmęs į staktą.

Toks visas ramus, vilkįs žalsvos spalvos megztinį (aišku, derantį prie jo akių) aukšta apykakle ir pilkai melsvą kostiumą.

Jis nusišypsojo Džoanai ir tarė:

– Mėgstu stebėti moteris, dirbančias namų ruošos darbus.

– Pataikėte kaip tik į tą miestelį, – įgėlė Džoana. Ji įmetė šaukštelį į plautuvę, paėmė kavos skardinę ir įdėjo ją į šaldytuvą.

Koba stovėjo ten pat ir stebėjo ją.

Ji troško, kad virtuvėn ateitų Volteris.

– Neatrodo, kad būtumėt itin apsvaigęs, tai kodėl visi jus vadina Diziu*? – pasidomėjo Džoana, išimdama iš spintelės arbatinį Klodo arbatai virti.

– Anksčiau esu dirbęs Disneilende.

Ji kaip tik ėjo link plautuvės ir nusijuokė.

– Eikit sau. O jeigu rimtai?

– Aš rimtai.

Džoana atsigrįžo ir pažvelgė į jį.

– Jūs netikite manimi? – paklausė jis.

– Ne, – atrėžė Džoana.

– O kodėl?

Ji minutėlę pagalvojo ir labai greitai surado tikslų atsakymą.

– Kodėl netikite, – pakartojo Koba. – Pasakykit.

Tegul jį skradžiai. Ji ims ir pasakys:

---

* *Dizzy* (angl.) – apsvaigęs.

– Jūs nepanašus į žmogų, kuriam patiktų suteikti džiaugsmo kitiems.

Aišku, Džoana suvokė, jog toks atsakymas prilygo bombos sprogimui. Skeveldromis išlakstė paskutinės moterų viltys patekti į pašlovintą, šventą ir neliečiamą Vyrų draugiją.

Koba pažvelgė į Džoaną. Vėl tuo pačiu niekinančiu žvilgsniu ir pasakė:

– Kiek mažai jūs žinote.

Po to nusišypsojo, atsitraukė nuo staktos ir nuėjo.

– Žinai, aš ne itin sužavėta jūsiškiu *el Presidente**, – pasakė ji, nusivilkdama suknelę.

Volteris tarė:

– Patikėk manim, aš irgi. Jis šaltas it ledas. Tačiau amžinai netupės šiame poste.

– Tikiuosi, kad taip ir bus. Antraip moterys niekad nepateks į tą draugiją. Kada rinkimai?

– Kitų metų pradžioje.

– Ką jis veikia?

– Jis dirba „Burnham-Massey“ gamykloje, Devintojoje gatvėje. Kaip ir Klodas.

– Klausyk, o kokia ta jo pavardė?

– Klodo? Akselmas.

Tuomet pasigirdo Kim verksmas. Mergaitę ištiko karštinės priepuolis, tad jie nuėjo miegoti tik po trijų. O iki tol matavo temperatūrą (pirmąjį kartą termometro stulpelis rodė bemaž trisdešimt devynis), skaitė vaikų ligų specialisto *daktaro Spoko* žinyną, skambino daktarui Veriui, nardino Kim į šaltą vandenį ir trynė alkoholiu.

---

* Prezidentas (isp.).

Pagaliau Bobei pasisekė. Ji surado vieną gyvą būtybę.

– Bent jau gretinant su kitomis senomis tarkomis, – jos balsas telefono ragelyje skambėjo it koks brūžeklis. – Jos vardas Šermeina Vimperis. O šiaip, jeigu prisimerksi, tai ji atrodys panaši į Rakelę Velč. Gyvena Miestelėnų gūbryje, dviejų šimtų tūkstančių dolerių vertės šiuolaikiniame name, laiko tarnaitę, sodininką ir turi – tu tik paklausyk! – teniso aikštelę.

– *Rimtai?*

– Taip ir maniau, kad užkibsi. Kaipgi kitaip tave ištempsi iš namų. Esi pakviesta pažaisti ir net papietauti. Atvažiuosiu pasiimti apie pusę dvylikos.

– Šiandien? Aš negaliu! Kim vis dar namuose.

– *Vis dar?*

– Gal važiuokime trečiadienį. Arba ketvirtadienį. Kad man būtų ramiau.

– *Trečiadienį*, – tarė Bobė. – Aš jos paklausiu ir tau paskambinsiu.

Trinkt! Paukšt! Žybt! Šermeina Vimperis puikiai žaidė. *Velniškai* puikiai. Smūgiai taiklūs ir tvirti. Kamuoliukas lakstė švilpdamas tai į vieną aikštelės kampą, tai į kitą. Džoana neturėjo kada atsikvėpti: lakstė į visas puses, po to staiga metėsi atgal ir tik per plauką sugebėjo atmušti. Tačiau kitas Šermeinos smūgis nulėmė žaidimo eigą. Ji užsimojo ir pasiuntė: kamuoliukas trenkėsi žemėn į kairįjį aikštelės kampą. Savaime suprantama, Džoana nespėjo atmušti. Šeimininkė laimėjo ir žaidimą, ir setą (šeši – trys). Pirmąjį setą ji išlošė rezultatu šeši – du.

– O Jėzau! Tai gavau į kaulus! – sušuko Džoana. – Tikras fiasko! O varge vargeli!

– Dar vieną! – sušuko Šermeina, atsitraukdama link padavimo linijos. – Nagi dar vieną!

– Aš nebegaliu! Jau ir taip rytoj nepavilksiu kojų! – Džoana pakėlė nuo žemės kamuoliuką. – Eik šen, Bobe! Dabar tavo eilė žaisti!

Bobė, sukryžiavusi kojas, sėdėjo ant žolės anapus tinklinės tvoros ir lepino savo veidą saulės reflektoriaus teikiamais malonumais. Išgirdusi Džoanos žodžius, ji tik šyptelėjo:

– Dėl Dievo meilės, aš nežaidžiau nuo *stovyklos* laikų!

– Tuomet sužaidžiam dar vieną žaidimą, – pareiškė Šermeina. – Tik vieną, Džoana!

– Gerai jau, dar vieną žaidimą!

Šermeina vėl laimėjo.

– Jūs manęs vos nenužudėte, bet buvo nuostabu! – pareiškė Džoana, kai juodvi žingsniavo prie išėjimo. – Nuoširdžiai dėkoju!

Šermeina, atsargiai tapšnodama savo išsišovusius skruostus rankšluosčio krašteliu, tarė:

– Jums tik reikia nuolat treniruotis. Štai ir viskas. Jūsų padavimas – pačios aukščiausios klasės.

– Bėda, kad naudos iš to – kaip iš ožio pieno.

– Ar dažnai žaidžiate? Visas mano džiaugsmas – pora paauglių, kuriems ir taip nuolatinės erekcijos.

– Tai atsiųsk juos pas mane, – kurktelėjo Bobė ir atsistojo.

Trijulė patraukė plokštėmis grįstu taku namo link.

– Išties nuostabus kortas, – tarė Džoana šluostydamasi rankšluosčiu ranką.

– Tai prašom *naudotis*, – pasakė Šarmeina. – Anksčiau kasdien žaisdavau su Džine Fišer. Ar pažįstate tokią? Tai ji ėmė ir pavargo nuo manęs. Tikiuosi, jums taip nenutiks? Kaip dėl rytojaus?

– Tikrai negalėsiu!

Jos susėdo verandoje po milžinišku skėčiu su užrašu „Cinzano“, o tarnaitė, šiek tiek pražilusi moteris, vardu Netė, atnešė ąsotį „Kruvinosios Merės“ ir dubenį su agurkų padažu ir krekeriais.

– Ji nuostabi, – pasakė Šermeina. – Vokietė Mergelė. Jeigu liepčiau jai laižyti man batus, ji laižytų nė nemirktelėjusi. O kas jūs esate, Džoana?

– Amerikietis Jautis.

– Jeigu lieptum jai lažyti tavo batus, ji nė nemirktelėjusi spjautų į veidą, – paaiškino Bobė. – Tik nesakyk, kad rimtai tiki tomis nesąmonėmis?

– Aš tikrai tikiu, – pareiškė Šermeina pildamasi į taurę „Kruvinosios Merės“. – Tu irgi patikėtum, jeigu į viską žvelgtum be išankstinio nusistatymo. Tuo tarpu Džoana prisimerkė ir sužiuro į Šermeiną. Ne. Ne Rakelė Velč, bet velniškai panaši.

– Štai kodėl Džinė Fišer pavargo nuo manęs. Ji gimusi po Dvynių ženklu. O Dvyniai nuolat keičiasi, o Jaučiai yra pastovūs ir patikimi. Išgerkime už nesibaigiantį tenisą.

Džoana tarė:

– Minėtasis Jautis turi namą, du vaikus, tačiau neturi vokietės Mergelės.

Šermeina augino vieną vaiką, devynmetį sūnų Merilą. Jos vyras – prodiuseris – dirbo televizijoje. Į Stepfordą jie atsikraustė liepos mėnesį. Taip, Edas priklausė Vyrų draugijai, tačiau Šermeina nesuko sau galvos dėl moterų diskriminacijos.

– Svarbu, kad vakarais jis išeina iš namų. Man visiškai neįdomu kur, – pareiškė ji. – Juk jis – Avinas, o aš – Skorpionas.

– *Nejaugi?* – prunkštelėjo Bobė ir susigrūdo į burną padaže mirkytą krekerį.

– Itin blogas derinys, – paaiškino Šermeina. – Jeigu tik būčiau tuomet žinojusi tai, ką žinau dabar...

– Kuria prasme blogas? – pasiteiravo Džoana.

Ir smarkiai suklydo. Šermeina puolė pasakoti išsamiai apie savo ir Edo daugeriopus nesuderinamumus. Pradedant socialiniais ir emociniais, o baigiant seksualiniais. Netrukus Netė atnešė į stalą omarą su skrudintais bulvių šiaudeliais.

– Sudie, mano šlaunys, – tarstelėjo Bobė, šaukštu kabindama omarą ir dėdamasi gabalėlį į lėkštę. Tuo tarpu Šermeina leidosi į pikantiškas pasakojimo detales. Edas pasirodė esąs tikras sekso besotis ir ekscentrikas.

– Jis užsakė man tokį *guminį kostiumą* Anglijoje. Dievažin, kiek jis sukišo pinigų. Įsivaizduojate, *guminį?* Aš jam pasakiau: „Žinai ką? Gali užmauti tą velnią savo sekretorei, bet *manęs* ten neįgrūsi.“ Skorpiono nevalia įkalinti. Mergeles...labai prašom, bet kada. Jos užgimusios patarnauti. Tuo tarpu Skorpionas užgimęs eiti savo keliu.

– O jeigu *Edas* būtų žinojęs tai, ką tu žinai dabar, – tiesmukai pasiteiravo Džoana.

– Nebūtų nė mažiausio skirtumo, – patikino Šermeina. – Jis kraustosi dėl manęs iš proto. Tipiškas Avinas.

Netė atnešė pyragaičių su avietėmis ir kavos. Bobė sunkiai atsiduso. Šermeina papasakojo apie keletą kitų ekscentrikų. Kadaise ji buvusi manekenė, tad pažinojusi porą keistuolių.

Vėliau Šermeina palydėjo viešnias iki Bobės automobilio.

– Klausyk, – staiga ji kreipėsi į Džoaną, – žinau, kad esi užsiėmusi, tačiau, ištaikiusi laisvą valandėlę, *bet kada* atvažiuok į svečius. Nereikia net skambinti. Bemaž visuomet esu namuose.

– Dėkui. Būtinai užsuksiu, – tarė Džoana. – Ačiū už puikią dieną.

– Nėra už ką, – pasakė Šermeina. Ji pasilenkė prie automobilio lango. – Klausykit, norėčiau paprašyti judviejų paslaugos. Ar perskaitytumėt *Lindos Gudman „Saulės ženklus“**? Kad įsitikintumėte, kokia ji teisi. Knygą rasite „Centro“ vaistinėje. Ar perskaitysite? Labai prašau.

Galiausiai jos neatsispyrė ir šypsodamos pažadėjo, kad tikrai perskaitys.

– *Čiau!* – šūktelėjo Džoana ir pamojavo, kai juodvi pajudėjo.

– Ką gi, – numykė Bobė, apsukdama automobilį ir važiuodama link vartų, – gal ji ir nėra ideali kandidatė į Nacionalinės moterų organizacijos gretas, tačiau, dėkui Dievui, ji nesvaigsta dėl dulkių siurblio.

– Jėzau, kokia ji graži, – pasakė Džoana.

– Rimtai? Nieko nepadarysi, kartais tenka pripažinti, kad žmogus *atrodo* gerai, nors jo mąstymas siaubingas. Dieve, kokia santuoka! Kaip tau patiko istorija su kostiumu? O aš maniau, kad *Deivo* eksperimentai baugina!

– Deivo? – nustebusi Džoana pažvelgė į draugę.

Bobė šyptelėjo lūpų krašteliu.

– Net nesvajok, kad išgirsi širdį veriančią *mano* išpažintį, – tarė ji. – Esu Liūtas. O mes užgimusios keisti pokalbio temą. Ar judu su Volteriu norite eiti šeštadienio vakarą į kiną?

Tą namą jie nusipirko iš Piligrimų šeimos, kuri išgyveno jame viso labo du mėnesius ir persikraustė į Kanadą. Piligrimai savo ruožtu namą pirko iš tokios ponios Makgrat, o ši prieš vienuolika metų įsigijo jį iš tikrojo savininko, todėl didži-

* *Linda Goodman (1925–1995)* – bemaž legendinė JAV astrologė, rašytoja. Garsiausios knygos astrologijos tema: *„Saulės ženklai“*, *„Meilės ženklai“* ir *„Žvaigždžių ženklai“*.

ąją dalį šlamšto sandėlyje paliko būtent ponia Makgrat. Antra vertus, visus ten sukrautus daiktus vadinti šlamštu būtų neteisinga. Čia puikavosi dvi geros kolonijinio stiliaus kėdės, kurias Volteris ketino kada nors aptraukti iš naujo, čia jie surado visus dvidešimt *„Pažinimo džiaugsmo"* tomų, kurie dabar stovėjo Pyto kambaryje. Čia, sudėti į dėžutes ir surišti į ryšulius, snaudė visų pamiršti įvairiausi įrankiai ir šiaip daiktai, kurie, nors ir ne itin vertingi, tačiau atrodė puikiai tinkantys kasdieniam naudojimui. Ponia Makgrat buvo kruopšti kaupikė.

Dar prieš atvykstant santechnikui ir sumontuojant kriauklę, Džoana perkėlė didžiąją naudingesnių daiktų dalį į tolimąjį rūsio kampą. Dabar ji griebėsi likusios dalies: skardinių su dažais ir ryšulių su asbesto čerpėmis. Tuo tarpu Volteris meistravo fanerinę spintelę, o Pytas padavinėjo jam vinis. Kim drauge su Van Santų mergaitėmis ir Kerole išėjo į biblioteką.

Džoana išvyniojo pageltusio laikraščio paketą ir viduje rado bemaž trijų centimetrų pločio dažytojo teptuką. Jo švarūs šeriai kiek sukietėję, bet vis dar lankstūs. Džoana ėmė vynioti daiktą į tą patį laikraštį. Tai buvo *„Kronikos"* puslapis, kuriame jos žvilgsnį patraukė žodžiai „MOTERŲ KLUBAS" ir „KLAUSĖSI AUTORĖS". Ji atvertė kitą laikraščio pusę ir vėl pažvelgė į tekstą.

– Dėl Dievo meilės! – sušuko Džoana.

Pytas dėbtelėjo į ją. Volteris ir toliau mosavo plaktuku, tačiau pasidomėjo:

– Kas yra?

Ji ištraukė teptuką iš laikraščio ir padėjo jį ant grindų. Abiem rankomis laikydama sulenktą laikraščio puslapį, Džoana įdėmiai skaitė.

Volteris liovėsi kalęs. Jis atsigręžo į žmoną ir vėl paklausė:

– Kas nutiko?

Ji dar kurį laiką skaitė, o po to pažvelgė į Volterį. Tada vėl dėbtelėjo į laikraštį ir vėl į Volterį.

– Šiame miestelyje veikė... *moterų* klubas, – galiausiai pratarė Džoana. – Betė Fridan kalbėjosi su narėmis. Klubui vadovavo *Kitė Sandersen,* o Deilo Kobos ir Frenko Rodenberio žmonos ėjo pavaduotojų pareigas.

– Gal tu juokauji? – neteko žado Volteris.

Džoana žvilgtelėjo į laikraštį ir perskaitė:

– „Antradienio vakarą garsioji Betė Fridan*, *„Moterų paslapties"* autorė, kreipėsi į Stepfordo Moterų klubo nares, susirinkusias Giedrojo žvilgsnio gatvėje, klubo prezidentės ponios Sandersen namuose. Daugiau nei penkiasdešimt moterų plojo poniai Fridan, kai ši vardijo neteisybes ir nusivylimus, persekiojančius šiuolaikinę namų šeimininkę..." – ji pažvelgė į Volterį.

– Ar galiu aš pats kalti? – paprašė Pytas.

Volteris padavė plaktuką berniukui.

– *Kada* tai vyko? – pasiteiravo Volteris.

Ji dar kartą žvilgtelėjo į laikraštį.

– Čia neparašyta. Likusi tik apatinė straipsnio dalis, – paaiškino ji. – Dar spausdinama klubo tarybos narių nuotrauka. „Ponia Margolis, ponia Koba, rašytoja Betė Fridan, ponia Rodenberi ir ponia Anderson." Ji atgręžė puslapį Volteriui, o šis, priėjęs artyn, jį pačiupo.

– Viršūnė! Ar bent gali įsivaizduoti kažką panašaus? – retoriškai pasiteiravo Volteris, peržvelgęs straipsnį ir nuotrauką.

– Aš juk *kalbėjausi* su Kite Sandersen, – pasakė Džoana. – Ji *nė žodeliu* neužsiminė. Net neturėjo laiko susibėgti. Kaip ir visos kitos.

---

* *Betty Friedan* (g.1921, tikrasis vardas *Elizabeth Goldstein*) – JAV moterų teisių gynėja, rašytoja, visuomeninių organizacijų įkūrėja (1966 m. padėjo įkurti Nacionalinę moterų organizaciją). 1963 m. pasirodė jos garsiausia knyga *„Moterų paslaptis"*.

– Tai įvyko prieš kokius šešerius ar septynerius metus, – nusprendė Volteris, čiupinėdamas pageltusio laikraščio kraštą.

– Arba dar anksčiau, – tarė ji. – *„Moterų paslaptis“* pasirodė, kai aš dar dirbau. Pameni, Andreasas man davė paskaityti egzempliorių, atsiųstą recenzuoti?

Ji linktelėjo ir pasisuko į Pytą, kuris itin įnirtingai plaktuku baladojo spintelės paviršių.

– Ei, gal ramiau truputėlį, – puolė raminti sūnų. – Šitaip visur liks plaktuko žymės.

Tuomet jis vėl pažvelgė į laikraštį.

– Tiesiog neįtikėtina! – dar kartą nusistebėjo Volteris. – Tas klubas tikriausiai išsikvėpė.

– Turėdamas penkiasdešimt narių? – šyptelėjo Džoana. – Daugiau nei penkiasdešimt narių, kurios plojo Fridan ir nenušvilpė jos kalbų?

– Bet juk šiandien klubo nebėra, tiesa? – tarė Volteris ir paleido iš rankų laikraštį. – Nebent jos turi prasčiausią pasaulyje atstovę ryšiams su visuomene. Kai tik sutiksiu Herbį, paklausiu, kas nutiko.

Volteris grįžo pas Pytą.

– Jūs tik pažiūrėkite! Koks puikus darbas! – pagyrė Volteris Pytą.

Džoana vėl dirstelėjo į laikraštį ir papurtė galvą:

– Aš netikiu, – pareiškė Džoana. – Kas buvo tos moterys? Juk negalėjo jos visos išsikraustyti.

– Nusiramink, – pasakė Volteris. – Tu juk nesikalbėjai su visomis miestelio moterimis.

– Užtat Bobė kalbėjosi. Bemaž su visomis, – pasakė ji ir perlenkė laikraštį pusiau. Po to – dar per pusę ir padėjo jį ant kartono dėžės, kurioje laikė įrangą. Dažų teptukas gulėjo ant grindų. Džoana jį pakėlė ir pasiteiravo Volterio:

– Ar reikės teptuko?

Volteris atsigrįžo ir nužvelgė Džoaną.

– Tik nesakyk, kad turėsiu dar ir *nudažyti* spintelę.

– Ne, ne, – nuramino ji. – Radau jį suvyniotą tame laikraštyje.

– Aa, – tarstelėjo Volteris ir vėl sutelkė dėmesį į spintelę.

Ji padėjo teptuką ant grindų ir pritūpusi surinko keletą išbirusių čerpių.

– Kodėl ji nieko apie tai neužsiminė? – galiausiai neištvėrė Džoana. – Juk ji buvo klubo *prezidentė*.

Vos tik Bobė ir Deivas įsėdo į automobilį, Džoana viską papasakojo.

– Ar tu įsitikinusi, kad tas laikraštis – ne koks pigus skaitalas, atspausdintas prišnerkštame rūsyje? – pasidomėjo Bobė. – Na, iš tų, kurie nuolat rašo apie Elizabet Teilor ir jos vyrus.

– Tai tikrai mūsiškė „*Kronika*“, – patikino Džoana. – Apatinė titulinio puslapio pusė. Žiūrėk, štai ji.

Džoana padavė laikraštį, o Bobė su Deivu jį išskleidė. Volteris automobilio salone įjungė šviesą.

Po kurio laiko Deivas tarė:

– Gaila, kad mudu nesilažinom. *Įsivaizduoji*, būtum parodžiusi laikraštį ir laimėjusi krūvą pinigų?

– Kažkaip nepagalvojau, – pasakė Džoana.

– Daugiau nei penkiasdešimt moterų! – šūktelėjo Bobė. – Kas tos moterys, velniai griebtų? Kas ten nutiko?

– Aš *irgi* norėčiau žinoti, – patikino Džoana. – Ir kodėl Kitė Sandersen nė žodeliu neužsiminė man apie klubą. Rytoj pasikalbėsiu su ja.

Jie nuvažiavo į Ystbridže esantį kino teatrą ir atsistojo į eilę nusipirkti bilietus į vakarinį devintos valandos seansą.

Rodė kažkokį „R“* kategorijos britų filmą. Poros, stovinčios eilėje, pasirodė visai linksmos ir šnekios. Jos spietėsi būreliais po keturis ar šešis žmones, kvatojo, žvilgčiojo į eilės galą ir mojavo kitoms poroms. Pažįstamų nebuvo matyti, išskyrus vyresnio amžiaus porą, kurią Bobė pažinojo iš Istorijos draugijos susirinkimų ir septyniolikmetį Makormikų berniūkštį bei jo panelę, kurie romiai laikėsi susikibę už rankučių ir stengėsi atrodyti labai suaugę.

Visi pritarė, kad filmas „velnioniškai geras“. Po seanso jie parvežė Bobę su Deivu namo. Tiesa, namai atrodė apversti aukštyn kojomis: berniukai dar nemiegojo, o bandšunis strapaliojo po visus kambarius. Kai Bobė su Deivu pagaliau atsisveikino su vaikų aukle, o berniukai ir šuo sumigo, visi susėdo žemės drebėjimo nusiaubtoje svetainėje išgerti kavos ir pasivaišinti varškės pyragu.

– Taip ir *žinojau*, kad nesu vienintelė ir nepakartojama, – tarė Džoana, pamačiusi Aiko Mazardo pieštą Bobės portretą, kurį namų šeimininkė įgrūdo į rėmelius ir pastatė ant židinio atbrailos,.

– Visos moterys yra Aiko Mazardo panelės, argi tu nežinai? – išpyškino Bobė ir dar tvirčiau užkišo piešinį už rėmelių krašto. Šitaip Bobės atvaizdas tik dar labiau išsiklaipė.

– Dieve, kad aš bent *iš dalies* būčiau tokia, kokia ant popieriaus!

– Man tu graži tokia, kokia esi, – tarė Deivas, stovėjęs jiems už nugarų.

– Na, argi jis ne meilutis? – pasakė Bobė Džoanai, o tada atsigrįžo ir pakštelėjo Deivui į skruostą.

---

* Viena iš JAV taikomų vaidybinių filmų vertinimo sistemos kategorijų („R“– nuo angliško žodžio *„Restricted“* – apribotas, uždraustas), informuojanti, kad jaunesni nei 17 metų amžiaus asmenys į filmą neįleidžiami, nebent juos lydėtų suaugusieji.

– Tačiau nepamiršk, kad šį sekmadienį *vis tiek* tavo eilė anksti keltis, – pridūrė ji.

– Džoana Eberhart, – tarė Kitė Sandersen ir nusišypsojo. – Kaip gyvuojate? Gal užeisit?

– Taip, mielai, – atsakė Džoana. – Jei turite šiek tiek laivo laiko.

– Žinoma, turiu. Prašom į vidų, – pakvietė Kitė. Ji buvo graži juodaplaukė, įdubusiais skruostais ir atrodė truputį vyresnė nei toje *„Kronikos"* laikraštyje išspausdintoje nuotraukoje. Žingsniuodama prieškambariu Džoana nusprendė, kad Kitei kokie trisdešimt treji. Dramblio kaulo spalvos koridoriaus grindų plokštės priminė reklaminius plastiko stendus. Tarsi kas juos būtų čia suguldęs. Svetainėje kažkas žiūrėjo beisbolo rungtynes. Iš ten sklido žaidimo triukšmas.

– Ten Herbis su Gariu Kleibruku, – paaiškino Kitė, uždarydama laukujes duris. – Ar eisite pasisveikinti?

Džoana pasuko link svetainės, perėjo arkinį įėjimą ir žvilgtelėjo kambario vidun. Herbis su Gariu sėdėjo ant kanapos ir žiūrėjo milžiniško dydžio spalvotą televizorių, stovintį kitame svetainės gale. Garis laikė pusę sumuštinio ir čiaumojo. Ant vienakojo staliuko puikavosi lėkštė sumuštinių ir dvi skardinės alaus. Kambaryje karaliavo trys spalvos: smėlio, ruda ir žalia. Nepriekaištinga kolonijinio stiliaus svetainė. Džoana palaukė, kol besitraukiantis žaidėjas televizoriaus ekrane sugavo kamuolį, o tuomet ištarė:

– Sveiki!

Herbis su Gariu atsigrįžo ir nusišypsojo:

– Labas, Džoana, – pasisveikino jie. O Garis pasiteiravo:

– Kaip sekasi?

Tuo tarpu Herbis paklausė:

– Ar Volteris irgi atėjo?

– Puikiai. Ne, jo nėra, – Džoana iškart atsakė į abu klausimus. – Užsukau šnektelt su Kite. – Ar geros rungtynės?

Herbio žvilgsnis vėl įsmigo į ekraną, o Garis atsakė:

– Puikios.

Kitė išdygo greta Džoanos, tokia besišypsanti ir kvepianti Volterio motinos kvepalais (ar bent jau panašiai) ir tarė:

– Ką gi, eime į virtuvę.

– Gerų emocijų, – palinkėjo Džoana Herbiui ir Gariui. Atsikąsdamas sumuštinio, Garis nusišypsojo akimis pro akinių stiklus, o Herbis vėl pažvelgė į Džoaną ir padėkojo:

– Dėkui, dėkui.

Ji nusekė paskui Kitę plastiko grindimis.

– Ar gersite kavos? – pasiteiravo Kitė.

– Dėkui, ne.

Džoana įžengė paskui Kitę į kava kvepiančią virtuvę, kuri taip pat atrodė nepriekaištingai. Žinoma, jeigu nekreiptume dėmesio į atdaras džiovyklos dureles, drabužius ir skalbinių krepšį ant spintelės. Skalbyklės būgnas sukosi visu greičiu. Virtuvės grindys taip pat iškaltos plastiko plokštėmis.

– Nesikuklinkite, kava ką tik išvirta, – nuramino Kitė. – Ruošti nereikės...

– Ką gi, tuomet mielai išgersiu.

Džoana atsisėdo prie žalio stalo. Tuo tarpu Kitė atidarė spintelės dureles ir paėmė puodelį su lėkštele. Spintelėje, žinoma, ideali tvarka: puodeliai sukabinti už ąselių, o lėkštelės gražiai sudėliotos lentynėlėse.

– Šiandien namuose tvarka ir ramybė, – tarė Kitė ir uždarė spintelės dureles. Po to ji priėjo prie viryklės. (Jos figūra, įrėminta trumputės žydros suknelės, atrodė bemaž tokia pat nuostabi kaip Šermeinos.)

– Vaikai svečiuojasi pas Garį ir Doną, – tęsė Kitė. – O aš skalbiu Mardžės Makormik drabužius. Ji pasigavo kažkokį virusą, todėl vos pavelka kojas.

– Dieve, kaip apmaudu, – užjautė Džoana.

Kitė palietė kavavirės viršų pirštų galiukais ir įpylė kavos.

– Per porą dienų ji tikrai pasveiks, – užtikrino Kitė. – Kokią jūs geriate, Džoana?

– Be cukraus. Prašyčiau tik pieno.

Kitė nusinešė puodelį su lėkštele prie šaldytuvo.

– Jeigu vėl atėjote įkalbinėti dėl tų susiėjimų, – staiga pareiškė ji, – tai atsiprašau, bet aš vis dar siaubingai apsikrovusi darbais.

– Atėjau ne dėl to, – pasakė Džoana. Ji stebėjo, kaip Kitė atidarė šaldytuvą. – Norėjau sužinoti, kas nutiko Moterų klubui.

Kitė sustingo prie atdaro šaldytuvo, ji stovėjo nugara į Džoaną.

– Moterų klubui? – tarsi pasitikslino Kitė. – Jėzau, tai buvo prieš šimtą metų. Jis buvo paleistas.

– Kodėl? – nenusileido Džoana.

Kitė uždarė šaldytuvą ir atidarė greta esantį stalčių.

– Nemažai moterų išsikraustė, – tarė ji. Tuomet uždarė stalčių, atsigrįžo į Džoaną ir padėjo šaukštelį ant lėkštelės. – Tuo tarpu mes, likusios, paprasčiausiai praradome susidomėjimą ta veikla. Bent jau aš.

Ji priėjo prie stalo, atsargiai nešdama puodelį.

– Klubas nebeįstengė nuveikti nieko naudinga, – aiškino Kitė. – Po kiek laiko susirinkimai tapo itin nuobodūs.

Ji padėjo puodelį su lėkštele ant stalo ir pastūmė Džoanai.

– Ar užteks pieno? – paklausė Kitė.

– Taip, viskas gerai, – atsakė Džoana. – Dėkui. Kodėl jūs man aną kartą nepapasakojote apie klubą?

Kitė nusišypsojo, o jos skruostai dar labiau įdubo.

– Jūs manęs apie tai neklausinėjote, – tarė ji. – Tikrai būčiau papasakojusi. Anokia čia paslaptis. Gal gabalėlį torto ar sausainių?

– Dėkui, ne, – tarė Džoana.

– Eisiu, reikia sulankstyti drabužius, – pareiškė Kitė ir pakilo nuo stalo.

Džoana žiūrėjo, kaip ji uždarė džiovyklą ir ištraukė iš visos sukrautos rietuvės kažkokį baltą drabužį. Po to jį išpurtė. Pasirodė, jog tai marškinėliai trumpomis rankovėmis.

Staiga Džoana pasiteiravo:

– O kas tokio nutiko *Biliui* Makormikui? Netikiu, kad *jis* nemoka įjungti skalbyklės. Manau, kad tas žmogus – tikras kosminės aviacijos genijus, puikiai išmanantis techniką.

– Jis slaugo Mardžę, – ramiai tarė Kitė ir gražiai sulankstė marškinėlius. – Po džiovyklos drabužiai tokie gražūs ir baltutėliai, tiesa?

Šypsodama ji įdėjo sulankstytus marškinėlius į skalbinių krepšį.

Tarsi aktorė televizijos reklamoje.

Džoana staiga suvokė, kad Kitė tokia ir yra. Kaip ir *visos* jos, visos Stepfordo moterys – aktorės iš televizijos reklamų, besidžiaugiančios dezinfekcijos priemonėmis ir grindų vašku, valikliais, balikliais, šampūnais ir dezodorantais. Žavios aktorės didelėmis krūtimis, bet ribotų gabumų, vaidinančios priemiesčio namų šeimininkes. Tačiau neįtikinamai, pernelyg saldžiai ir uoliai, kad patikėtum.

– Kite, – tarė Džoana.

Kitė pažvelgė į ją.

– Kaip suprantu, klubo prezidente jūs tapote dar visai jaunutė, – tęsė Džoana. – Vadinasi, esate inteligentiškas ir turįs pakankamai veržlumo žmogus. Ar šiandien jūs laiminga? Pasakykit teisybę. Ar gyvenate visavertį gyvenimą?

Kitė pažvelgė į ją ir linktelėjo.

– Taip, aš laiminga, – atsakė moteris. – Ir gyvenu visavertį gyvenimą. Herbis užima itin atsakingas pareigas ir jam toli gražu taip nesisektų, jeigu negalvotų apie mane. Mudu esame nedalomas vienetas. Vardan vienas kito auginame vaikus, atliekame tyrinėjimus optikos srityje, kuriame švarią ir patogią namų aplinką ir netgi dalyvaujame bendruomenės veikloje.

– Vyrų draugijos.

– Taip.

Džoana neatlyžo ir įgėlė dar kartą:

– Ar Moterų klubo susirinkimai tikrai kėlė didesnį nuobodulį nei namų ruoša?

Kitė susiraukė.

– Ne, – atsakė ji, – tačiau jie neatnešė tiek naudos, kiek namų ruoša. Jūs net neparagavote kavos. Ar kas negerai?

– Ne, – atsakė Džoana. – Aš tik laukiau, kol ji atvės.

Ji pakėlė puodelį ir priglaudė prie lūpų.

– Ak, štai kaip!– tarstelėjo Kitė ir nusišypsojo. Ji vėl įniko lankstyti drabužius.

Džoana stebėjo ją. Ar vertėtų pasidomėti, kas buvo tos kitos moterys? Ne, jos tapo tokios kaip Kitė. Tad kokia prasmė smalsauti? Ji siurbtelėjo iš puodelio. Kava buvo stipri, sodraus aromato ir itin skani. Mintyse Džoana pripažino, kad jau seniai gėrė kažką panašaus.

– Kaip jūsų vaikučiai? – pasidomėjo Kitė.

– Puikiai, – atsakė Džoana.

Ji kaip tik susiruošė paklausti apie kavos rūšį, tačiau susiturėjo ir gurkštelėjo dar vieną gurkšnį.

Galbūt netaisyklingi parduotuvių vitrinų stiklai kaip nors įdomiai iškraipo mėnulio atspindį, tačiau patikrinti pasirodė neįmanoma. Ir vitrinos spindėjo *ne ten*, ir mėnulis kybojo *ne taip*. *C'est la vie.** Kurį laiką Džoana šlaistėsi aplink „Centrą“, pratindamasi prie naktį visiškai ištuštėjusios gatvės vingio, prie virtinės parduotuvių baltų fasadų vienoje pusėje ir pakilimo į kalvą – kitoje, prie bibliotekos ir Istorijos draugijos kotedžo. Dalį juostelės ji išnaudojo fotografuodama gatvės žibintus ir šiukšlių dėžes – iki šleikštulio banalius objektus, tačiau nuotraukos vis vien bus jaudai baltos, tai kurių velnių sukti galvą. Takeliu, vedančiu iš bibliotekos, nubidzeno katė. Pilko sidabro spalvos katė, kurios juodas šešėlis, krentąs nuo švytinčios mėnesienos, atrodė įstrigęs tarp letenėlių. Ji perbėgo gatvę ir pasuko link prekyvietės automobilių stovėjimo aikštelės. Dėkui, nereikia. Kačių nuotraukos mūsų nežavi.

Džoana pasistatė fotoaparato trikojį bibliotekos pievelėje ir nupaveikslavo parduotuvių fasadus, naudodama penkiasdešimties milimetrų objektyvą ir dešimties, dvylikos bei keturiolikos sekundžių išlaikymus. Staiga iš už nugaros švelnus nakties vėjelis atpūtė keistą vaistų kvapą. Jis netgi priminė kažką iš vaikystės, tačiau Džoana niekaip neįstengė prisiminti, kas tai buvo. Sirupas, kurį gėrė? Žaislas, kurį turėjo?

Mėnulio šviesoje ji pakeitė juostelę, sulankstė trikojį ir patraukė atgal per gatvę, žvalgydamasi į biblioteką ir ieškodama tinkamo kampo. Galiausiai jį rado, o tuomet įsikūrė. Aukštai virš galvos spindinčio mėnulio šviesoje balti sienų apkalai atrodė apjuosti juoda juosta. Tuo tarpu pro langus galė-

---

* Toks gyvenimas (pranc.).

jai matyti prie sienų stovinčias knygų lentynas, blausiai apšviestas iš vidaus. Džoana fokusavo vaizdą itin kruopščiai ir atsargiai. Pradėjusi nuo aštuonių sekundžių, ji kaskart pridėdavo po sekundę kiekvienam kadrui. Ir taip iki aštuoniolikos sekundžių. Bent jau vienoje nuotraukoje tikrai matysis viduje stovinčios lentynos, o išorės apkalų vaizdas nebus pernelyg ryškus.

Ji nuėjo link automobilio ir pasiėmė megztinį. Grįždama prie fotoaparato, nevalingai apsidairė. Istorijos draugijos kotedžas? Ne, vaizdą užstoja medžiai, o ir šiaip nykokas pastatas. Gretinant su juo, Vyrų draugijos namas, stovįs ant kalvos, atrodė stebėtinai komiškai: senas, kvadratinis devyniolikto amžiaus pastatas, masyvus ir simetriškas, virš kurio lyg kažkoks nesusipratimas styrojo spindinti televizijos antena. Ketvertas viršutinio aukšto langų plieskė ryškiomis šviesomis, rėmų rišiniai – pakelti. Matėsi viduje judantys siluetai.

Džoana išėmė penkiasdešimties milimetrų objektyvą iš fotoaparato ir jau taikėsi pakeisti jį kitu, trisdešimt penkių milimetrų, kai staiga gatve nusidriekė priekinių automobilio žibintų šviesos. Kuo toliau, tuo labiau jos ryškėjo. Džoana grįžtelėjo, ir šviesos pluoštas ją apakino. Džoana užsimerkė ir užveržė objektyvą iki galo. Tuomet prisidengė delnu akis ir prisimerkusi pažvelgė į šviesą.

Automobilis sustojo. Šviesos kaipmat užgeso, palikdamos tik oranžines kibirkštis. Kadangi vis dar matė akinantį švytėjimą, ji keletą kartų sumirksėjo.

Policijos automobilis. Jis stovėjo ten, kur sustojo ir nejudėjo. Maždaug už šimto metrų nuo Džoanos, kitoje gatvės pusėje. Ji išgirdo automobilyje kalbant vyriškį. Balsas malonus ir ramus. Jis vis kalbėjo.

Ji palaukė.

Automobilis pajudėjo pirmyn ir sustojo priešais Džoaną. Jaunas policininkas, kurio panosę puošė visiškai nederantys rudi ūsai, nusišypsojo ir tarė:

– Labas vakarėlis, ponia.

Džoana jau buvo mačiusi šį žmogų ir anksčiau. Kartą sutiko jį raštinės reikmenų parduotuvėje, kur šis pirko spalvoto krepino pakus (po vieną paką kiekvienos spalvos).

– Sveiki, – pasisveikino Džoana ir taip pat nusišypsojo.

Automobilyje jis sėdėjo vienas. Tikriausiai kalbėjosi radijo bangomis. Apie ją?

– Atleiskite, kad taip įsiveržiau spigindamas žibintais, – tarė policininkas. – Ar ten prie pašto jūsų automobilis?

– Taip, – patvirtino ji. – Nestačiau jo čia, nes norėjau...

– Nieko tokio. Aš tik tikrinu, – tarė jaunuolis ir prisimerkęs įsistebeilijo į fotoaparatą. – Gražus... Kokios firmos?

– Čia „Pentaksas“, – paaiškino ji.

– „Pentaksas“, – pakartojo policininkas. Ji pažvelgė į fotoaparatą, po to – į Džoaną. – Tai jis gali fotografuoti ir naktį?

– Taip. Su blykste, – paaiškino Džoana.

– Ak, žinoma, – linktelėjo jis. – Kiek laiko visa tai trunka? Na, pavyzdžiui, tokią naktį...

– Įvairiai. Priklauso nuo aplinkybių, – atsakė Džoana.

Jis pasidomėjo, nuo kokių aplinkybių. Vėliau pasiteiravo, kokią juostelę ji naudojanti, ar esanti profesionali fotografė, kiek maždaug kainuojąs „Pentaksas“ ir kuo jis geresnis palyginus su kitais fotoaparatais.

Ji stengėsi neprarasti kantrybės. Juk turėtų džiaugtis, kad gyvena miestelyje, kuriame policininkas sustoja ir keletą minučių pasišneka.

Galiausiai jis nusišypsojo ir tarė:

– Na, manding jums laikas grįžti prie darbo. Tai netrukdysiu. Labos nakties.

– Labanakt, – atsisveikino Džoana.

Jis nuvažiavo lėtai. Sidabro pilkumo katė perbėgo kelią, iššokusi prieš pat priekinių žibintų šviesas.

Kurį laiką ji dar lydėjo automobilį akimis, po to patikrino fotoaparato objektyvą. Pasilenkusi prie vaizdo ieškiklio, Džoana nustatė puikų Vyrų draugijos namų kadrą ir sutvirtino trikojo pagrindą, kad šis nejudėtų. Tuomet sufokusavo vaizdą ir nustatė tinkamą ryškumą. Tuo tarpu du iš keturių Vyrų draugijos namo viršutinio aukšto langų aptemo. Staiga šviesa dingo dar viename lange, o galiausiai tamsa apgaubė ir paskutinįjį.

Džoana atsitiesė ir pažvelgė į tą kvadratinį pastatą su kvailai styrančia antena. Tada ji atsigrįžo į tolimas policijos automobilio galinių žibintų šviesas.

Policininkas pranešė apie ją radijo bangomis, o po to sulaikė, apiberdamas tais kvailais klausimais, kol bus imtasi priemonių ir šviesos išjungtos.

„Jėzau, moteriške, tau, matyt, visai stogas nuvažiavo!” Ji vėl pažvelgė į namą. Ten tikrai nėra jokio *radijo imtuvo*. Ir kodėl policininkas turėjo išsigąsti, kad ji kažin ką nufotografuos? Vykstančią orgiją? Merginas pagal iškvietimą, atvykusias iš didmiesčio? (Arba dar geriau, iš paties Stepfordo.). *„DIDINTUVAS ATSKLEIDŽIA SUKREČIANČIĄ PASLAPTĮ. Tariamai stropios namų šeimininkės, garsėjančios nepriekaištingu elgesiu, visą sekmadienio naktį smaginosi Vyrų draugijos namuose. Šią miestelio gėdą įamžino fotografė Džoana Eberhart, gyvenanti Giedrojo žvilgsnio gatvėje...“*

Šypsodama ji vėl pasilenkė prie vaizdo ieškiklio, pagerino kadro padėtį, fokusuotę, o tada triskart (su dešimties, dvylikos ir keturiolikos sekundžių išlaikymu) nupaveikslavo tamsius namo langus.

Džoana nufotografavo pašto pastatą ir prie jo stovintį pliką vėliavos stiebą, rymantį mėnesienos nutviekstų debesų fone. Ji kaip tik kėlė trikojį į automobilį, kai pro šalį važiuojanti policijos mašina sulėtino greitį.

– Tikiuosi, visos nuotraukos bus puikios! – sušuko jaunasis policininkas.

– Ačiū! – šūktelėjo dėkodama Džoana. – Buvo miela pasišnekėti!

Šia frazę ji išrėkė tik tam, kad nuslėptų įtarumą, kurį sąlygojo miestietiška prigimtis.

– Labos nakties! – šūktelėjo policininkas.

Volterio vyresnysis partneris ir viršininkas pasimirė nuo uremijos, o paskolų apskaita, kurią jis tvarkė, pasirodė esanti gąsdinančiai netiksli. Todėl Volteriui teko dvi naktis ir visą savaitgalį nakvoti mieste. Tiesą sakant, ir kitais vakarais jis retai grįždavo anksčiau nei vienuoliktą. Pytas pargriuvo mokyklos autobuse ir išsimušė du priekinius dantis. Apsilankė Džoanos tėvai. Žinoma, įspėję apie atvykimą paskutinę minutę. Kadangi keliavo atostogauti į Karibus, tai Stepforde praleido viso labo tris dienas. (Jiems patiko ir miestelis, ir namas, o Džoanos mama liko sužavėta Kerole Van Sant: „Tokia romi ir stropi! Džoana, tau derėtų iš *jos* pasimokyti.“)

Indaplovė sugedo, o siurblys nebeveikė. Į duris pasibeldė aštuntasis Pyto gimtadienis su dovanėlėmis, linksmybėmis ir tortu. Kim suskaudo gerklę, todėl mergaitė tris dienas sėdėjo namuose. Džoanos mėnesinės vėlavo, bet, ačiū Dievui ir Piliulei, galiausiai sugrįžo.

Ji surado šiek tiek laiko pažaisti tenisą, įgijo daugiau įgūdžių, tačiau vis tiek neprilygo Šermeinai. Džoana bemaž įsirengė tamsųjį kambariuką, o taip pat padarė bandomąsias to juodaodžio ir taksi nuotraukas, išryškino ir atspaudė tas, kurias paveikslavo prie „Centro“. Paaiškėjo, kad dvi – išties puikios. Dar ji nufotografavo Kim, Pytą ir Skotą Čamalianą, besikarstančius po „Džiunglių raizgalynę“.

Bobė užsukdavo bemaž kiekvieną dieną. Juodvi vaikščiodavo po parduotuves, o kartais draugė atsiveždavo ir du jaunesniuosius sūnus Adamą ir Kenį, kuriuos pasiimdavo iš mokyklos. Vieną dieną Džoana, Bobė ir Šermeina kaip reikiant išsičiustijo ir patraukė papietauti bei pasilepinti kokteiliais į prancūzų restoraną Ystbridže.

Baigiantis spaliui, Volteris vėl sugrįždavo pietauti į namus. Mirusiojo partnerio netikslumai buvo išnarplioti ir sutvarkyti, o trūkumai – padengti. Namuose viskas puikiai veikė, o šeimos nariai atrodė sveiki ir laimingi. Visų šventųjų dienos išvakarėse jie išskaptavo milžinišką moliūgą. Pytas virto Betmenu su dviem išmuštais dantimis, o Kim – animacinio serialo varniukais Karksiuku ir Knebsiuku (ji pati tvirtino esanti ir tas, ir tas). Abu persirengėliai išskubėjo terorizuoti aplinkinių gyventojų, o Džoana sulaukė svečių. Ji net nepastebėjo, kaip išdalino penkiasdešimt saldainių maišelių, o galiausiai turėjo tenkintis vaisiais ir sausainiais. Nieko, kitais metais ji žinosianti, ką daryti.

Pirmąjį lapkričio šeštadienį Eberhartai surengė kviestinius pietus. Pakvietė Bobę su Deivu, Šermeiną ir jos vyrą Edą, o taip pat Šepą ir Silviją Takouverius bei Doną Fero, vieną iš Volterio partnerių, su žmona Liuse. Pastaroji ketveriukė, suprantama, atvyko iš didmiesčio. Vietos moteriškaitė, kurią Džoana pasamdė patiekti maistą ir sutvarkyti namus po vakarėlio, nepaprastai džiaugėsi gavusi darbelio Stepforde. Vis šiokia tokia įvairovė.

– Anksčiau čia gyvenimas tiesiog virte virė, o linksmybės liejosi per kraštus! – pasakė ji. – Dabar man tenka belstis į *Norvudą*, *Ystbridžą* ar net Naująjį *Šaroną*! O aš *nekenčiu* vairuoti naktį!

Ši apkūni, greitai judanti žilaplaukė šeimininkė, žinoma, turėjo vardą ir pavardę. Merė Miljardi.

– Viskuo kalta ta Vyrų draugija, – tiesiai šviesiai pareiškė moteris. Ji kaip tik smaigstė dantų krapštukus į krevetes, sudėtas į negilią pailgą lėkštę. – Kai tik *jie* pradėjo veikti, visi pasilinksminimai išgaravo it dūmas! Vyrai išeina pasilakstyti, o moterys sėdi namuose! Jeigu mano seniokas būtų gyvas, tai pirmiausia turėtų mane subaladoti, kad leisčiau jį į tuos susirinkimus!

– Bet juk toji organizacija gyvuoja labai seniai, tiesa? – tarė Džoana. Ji kaip tik maišė salotas, atsitraukusi per saugų atstumą, kad neaptaškytų suknelės.

– Gal tu pokštauji, vaikeli? – nusistebėjo Merė. – Ji įkurta visai neseniai. Prieš kokius šešerius ar septynerius metus, štai ir viskas! Anksčiau miestelyje veikė Piliečių, Elnių* ir Garbės legiono draugijos.

Ji smaigstė krapštukus į krevetes tokiu greičiu, kad panėšėjo į sparčiai dirbantį įrenginį.

– Galiausiai jos visos susijungė. Vos tik susibūrus Vyrų draugijai, – aiškino Merė. – Išskyrus Garbės legiono narius. Jie vis dar veikia atskirai. Sakau, susikūrė prieš šešerius ar septynerius metus. Ir viskas! Juk čia dar ne visi užkandžiai, taip?

– Šaldytuve yra sūrio rutuliukų, – tarė Džoana.

Virtuvėn įžengė Volteris. Jis dėvėjo languotą švarką ir atrodė itin patraukliai. Rankoje laikė ledų kibirėlį.

---

* Labdaringasis ir globėjiškasis Elnių ordinas (angl. *Benevolent and Protective Order of Elks*) – JAV visuomeninė organizacija, dalyvaujanti daugybėje labdaros projektų, skatinanti amerikiečių patriotizmą ir brolybės dvasią.

– Mums pasisekė, – tarė Volteris eidamas link šaldytuvo. – Rodo kažkokį filmą apie pabaisas, tai Pytas net nenori nulipti žemyn. Aš pernešiau televizorių į jo kambarį.

Jis atidarė šaldiklio dureles ir ištraukė iš ten maišelį su ledo gabalėliais.

– Merė man ką tik papasakojo, kad Vyrų draugija įkurta neseniai, – pasakė Džoana.

– Aš *taip* nepasakyčiau, – tarė Volteris plėšdamas maišelio viršų. Vyriškio skruostikaulį puošė skiautė baltos servetėlės. Sudžiūvusio kraujo taškelis atrodė it smeigtuko galvutė.

– Prieš šešerius ar septynerius metus, – pakartojo Merė. – Ten, kur gyvenome anksčiau, tai – ilgas laiko tarpas.

Džoana tarė:

– Aš maniau, kad organizacijos šaknys siekia puritonų laikus.

– Iš kur tokios mintys? – pasidomėjo Volteris. Jis ramiai bėrė ledo gabalėlius į kibirėlį.

Ji pamaišė salotas.

– Nežinau, – atsakė. – Visa struktūra, tas senas namas...

– Ak taip, Terhuno tipo namas, – įsiterpė Merė. Permatoma plėvele ji uždengė lėkštę susmaigstytų krevečių. – Draugija nusipirko jį pigiau grybų. Iš varžytinių. Už mokesčių nemokėjimą. Tiesą sakant, kitų norinčių įsigyti tą namą ir neatsirado.

Vakarėlis virto tikra nelaime. Paaiškėjo, kad Liusė Fero esanti kažkam alergiška, todėl nesiliovė čiaudėjusi. Silvija sėdėjo susimąsčiusi, o Bobė, turėjusi tapti užstalės pokalbių pažiba, pasigavo laringitą. Šermeina atvyko vilkėdama itin provokuojančią ir gundančią balto šilko suknelę iki žemės, tačiau prakirptą ties bamba. Tikra šelmė! Deivas su Šepu prarijo jauką ir nenuleido akių nuo atvykėlės. Volteris (kad jį kur *skradžiai!*) pakampėje tyliai šnekėjosi su Donu Fero. Edas

Vimperis, didžiulis, storas, nepriekaištingai apsirengęs ir gerokai įkaušęs, kalbėjo apie televiziją ir, žnaibydamas Džoanai ranką, lėtai ir kantriai aiškino, kodėl vaizdajuostės pakeis viską. Susėdus prie pietų stalo, Silvija staiga atkuto ir puolė pasakoti apie priemiesčių bendruomenes, kurias praturtina lengvoji pramonė ir lanksti mokesčių politika, tačiau vis tiek atsitveria nuo išorinio pasaulio vieno ar dviejų hektarų sklypuose.

Edas Vimperis apvertė savąją taurę su vynu. Džoana stengėsi lengvai ir nerūpestingai kalbėti, tačiau visas paskatas niekais pavertė Bobė. Toji it pašėlusi ėmė pasakoti, kaip ir kur pasigavusi laringitą. Bobė įrašinėjusi juosteles Deivo draugui, kuris, anot jos, „įsivaizduoja esąs prakeiktas Henris Higinsas*, rimtai“. Tačiau Šermeina, kuri pažinojo tą vyriškį ir pati ne kartą įrašinėjo jam, kaipmat įsiterpė pareiškusi, kad „nevalia šaipytis iš Ožiaragių veiklos: jie *kuria*“. Štai tada ji ėmė kamantinėti prie stalo susėdusių svečių apie jų zodiako ženklus ir čia pat aiškinti būdingas savybes. Visi susikaupę klausėsi ekspertės. Mėsa perkepė, tad Volteris gerokai pavargo, kol supjaustė visą gabalą. Suflė išsipūtė, bet ne tiek, kiek derėtų (šią pastabą išsakė Merė, tiekdama desertą į stalą). Tuo tarpu Liusė Fero vis čiaudėjo.

– Niekada gyvenime! – pareiškė Džoana, kai išjungė laukujes šviesas.

Volteris tik nusižiovavo ir tarė:

– Vadinasi, nereiks ilgai laukti.

– Klausyk, baik šaipytis, – supyko Džoana. – Kaip tu galėjai ramiausiai pliurpti su tuo Donu, kai ant kanapos sėdėjo trys moterys? Visos trys kaip uogos!

---

* Turimas galvoje miuziklo (arba vaidybinio filmo) *„Mano puikioji ledi“*, sukurto pagal garsiojo dramaturgo Džordžo Bernardo Šo pjesę *„Pigmalionas“*, personažas lingvistikos profesorius Henris Higinsas.

Paskambino Silvija ir atsiprašė už savo elgesį vakarėlyje. Paaiškėjo, kad jos paprasčiausiai nepaaukštino pareigose, nors, velniai rautų, Silvija nusipelnė to paaukštinimo. Po to skambino Šermeina. Ji tvirtino puikiai praleidusi laiką ir norėjusi atidėti antradienį numatytą teniso žaidimą.

– Edą vėl apsėdo kažkokios mintys, – paaiškino ji. – Jis išsiprašė porą laisvadienių. Merilą išvežame pas Dakostas. Kiek žinau, tu, mieloji, nepažįsti jų. Tai ir džiaukis, kad nepažįsti. Tuo tarpu mudu su Edu vėl mėginsime „atrasti vienas kitą“. Tai reiškia, kad jis vaikysis mane aplink lovą. O mano mėnesinės prasidės tik kitą savaitę, kad tave perkūnas!

– Ta gal geriau leiskis sugaunama, – pasiūlė Džoana.

– Vajėzau, – suaimanavo Šermeina. – Klausyk, atvirai pasakius, man nepatinka, kai kas nors grūda į mane savo storą pimpį. Niekad to nemėgau ir vargu bau ar pamėgsiu. Tik nemanyk, kad esu kokia lesbė. Aš išbandžiau ir pasakysiu tau: *nieko* ypatinga. Manęs tiesiog nedomina seksas. Žinai, mano galva, kitoms moterims į jį taip pat nusispjaut. Netgi Žuvų ženklo atstovėms. Pasakyk, aš teisi?

– Na, aš nesu nimfomanė, – tarė Džoana, – bet seksas man tikrai patinka.

– *Tikrai* ar tik todėl, kad taip reikia?

– Tikrai.

– Ką gi, kiekvienam savo, – tarė Šermeina. – Susitinkam ketvirtadienį, gerai? Ačiū Dievui, tądien jam konferencija, kurioje būtina dalyvauti.

– Sutarta, ketvirtadienį. Nebent kas nutiktų.

– O tu *žiūrėk*, kad nenutiktų.

– Oras vis šaltesnis.

– Apsivilksime megztinius.

Džoana apsilankė Tėvų ir mokytojų asociacijos susirinkime. Ten ji sutiko Pyto ir Kim mokytojas panelę Terner ir panelę Geir, malonias vidutinio amžiaus moteriškaites, itin noriai atsakinėjančias į klausimus apie mokymo metodus ir sunkią programą. Į susirinkimą atėjo išties mažai žmonių. Be būrelio mokytojų, susispietusių kabineto gale, dalyvavo dar devynios moterys ir mažne tuzinas vyriškių. Asociacijos prezidentė pasirodė esanti patraukli blondinė ponia Holingsvort. Visus reikalus ji tvarkė šypsodama ir neskubėdama, vadovaudamasi nuginkluojančiu dalykiškumu.

Džoana Pytui ir Kim nupirko žieminių drabužių, o sau padovanojo porą vilnonių kojinių. Namuose ji išdidino dvi puikias nuotraukas – „Nedirba“ bei „Stepfordo biblioteka“ – ir nuvežė Pytą su Kim pas dantų gydytoją poną Kou.

– Ar mes tikrai susitarėm? – netikėdama pasiteiravo Šermeina ir įleido Džoaną vidun.

– Tai aišku, – patikino Džoana. – Aš dar pasakiau, kad sutariam. Nebent kas nutiktų.

Šermeina uždarė laukujes duris ir nusišypsojo viešniai. Ji vilkėjo palaidinukę, mūvėjo ilgas laisvas kelnes, o ant jų ryšėjo prijuostę.

– Jėzau, dovanok, Džoana, – puolė atsiprašinėti, – aš visai pamiršau.

– Nieko baisaus, – tarė Džoana. – Eik persirengti.

– Negaliu žaisti, – pasakė Šermeina. – Visų pirma turiu krūvą darbo...

– Darbo?

– Namų ruoša.

Džoana įdėmiai pažvelgė į ją.

– Atleidome Nitę, – ėmė aiškinti Šermeina. – Tu net neįsivaizduoji, kaip prastai ji atlikdavo savo darbą. Iš pirmo žvilgsnio namai atrodo švarūs ir tvarkingi. Dieve brangiausias, kad tu būtum mačiusi, kas darosi kampuose! Vakar iškuopiau virtuvę ir valgomąjį. Tačiau turiu sutvarkyti ir kitus kambarius. Edas nenusipelno gyventi prišniaukštoje landynėje.

Vis dar neatitraukdama akių nuo Šermeinos, Džoana tarė:

– Aha, geras pokštas.

– Čia ne pokštas, – pasakė Šermeina. – Edas puikus vyras, o aš visiškai apsileidau ir tapau tikra savanaudė. Daugiau nebežaisiu teniso ir neskaitysiu tų astrologijos knygų. Nuo šiol visa mano veikla bus skirta Edo ir Merilo gerovei. Man tikrai pasisekė, kad turiu tokį vyrą ir tokį sūnų.

Džoana žvilgtelėjo į savo raketės dėklą, kurį vis dar laikė tvirtai suspaudusi, o po to – į Šermeiną.

– Nuostabu, – tarė ji. – Bet, atvirai pasakius, aš netikiu, kad metei tenisą.

– Eik ir pasižiūrėk, – Šermeinos balsas nuskambėjo kaip niekad ramiai.

Džoana dar kartą pažvelgė į ją.

– Eik ir pasižiūrėk, – pakartojo Šermeina.

Džoana pasisuko, įžengė į svetainę, o perėjusi ją patraukė link virtinės stiklinių durų. Šermeina sekė įkandin. Atitraukusi vienerias duris, ji išėjo į verandą. Tuomet priėjo prie verandos krašto ir pažvelgė žemyn į šlaitą, kur plytėjo plokštėmis grįsta aikštelė.

Greta teniso korto, ant žolės, išvagotos padangų žymėmis, stovėjo sunkvežimis, prikrautas tinklinės tvoros dalių. Dvi teniso korto tvoros pusės jau buvo išardytos, o kitos dvi

– ilgoji ir trumpoji – gulėjo nuverstos žolėje. Du vyrai, atsiklaupę prie ilgosios, karpė ją dalimis. Jų rankose švytravo žnyplės didelėmis rankenomis, kurias jie kartkartėmis suglausdavo. Tuomet pasigirsdavo ausį rėžiantis trekštelėjimas. Aikštelės viduryje pūpsojo krūva juodžemio. Tinklo ir stulpų taip pat nebeliko.

– Edui reikalinga lygi aikštelė, – paaiškino Šermeina. Ji priėjo artyn.

– Juk tai *molžemis*! – sušuko Džoana ir atsigręžo.

– Čia vienintelė lygi vieta mūsų sklype, – tarė Šermeina.

– Jėzau, – pasakė Džoana, žiūrėdama į darbininkus mosuojančius žnyplėmis, – juk tai beprotybė, Šermeina!

– Edas žaidžia golfą, o ne tenisą, – vėl ramiai paaiškino Šermeina.

Džoana netikėdama dirstelėjo į draugę.

– *Ką* jis tau padarė? – tarė ji. – *Užhipnotizavo*?

– Nenusišnekėk, – šyptelėjo Šermeina. – Jis puikus vyras, o aš laiminga moteris. Todėl privalau rodyti tinkamą dėkingumą savo vyrui. Ar dar pabūsi? Išvirsiu tau kavos. Kaip tik tvarkau Merilo kambarį, tačiau galėsime plepėti, kol dirbu.

– Gerai, – ištarė Džoana, tačiau tuoj pat susizgribo ir papurtė galvą. – Ne, ne, aš ...

Ji atsitraukė nuo Šermeinos vis dar įdėmiai į ją žiūrėdama.

– Tikrai ne. Aš irgi *turiu* ką veikti.

Ji apsisuko ir nužingsniavo per visą verandą.

– Atleisk, kad nepaskambinau. Visai iš galvos išgaravo, – atsiprašinėjo Šermeina sekdama paskui Džoaną į svetainę.

– Nieko baisaus, – tarė Džoana ir paspartino žingsnį. Prie laukujų durų ji sustojo ir atsigręžo. Raketės dėklą laikė priešais save suspaudusi abiem rankomis. – Iki pasimatymo po poros dienų, gerai?

– Žinoma, – patikino Šermeina šypsodama. – Paskambink man. Ir perduok linkėjimus Volteriui.

Bobė nepatingėjo nuvažiuoti pas Šermeiną, kad viską pamatytų savo akimis. Po to iškart paskambino Džoanai.

– Ji kaip tik stumdė miegamojo baldus. Juk jie įsikraustė į tą namą liepos mėnesį. Apie kokią nešvarą ji kalbą?

– Ilgai tas nesitęs, – pareiškė Džoana. – Pamatysi. Žmonės šitaip radikaliai nesikeičia.

– Nejaugi? – suabejojo Bobė. – Netgi šiame miestelyje?

– Apie ką tu čia?

– Užsičiaupk, Keni! Atiduok jam, ką paėmei! Paklausyk, Džoana, mums reikia pasišnekėti. Ar galime rytoj papietauti?

– Taip...

– Atvažiuosiu tavęs pasiimti apie vidurdienį. Aš juk aiškiai pasakiau: *atiduok!* Ar gerai? Vidurdienį. Apranga kasdieniška.

– Gerai. Kim! Ar tu girdi? Vanduo jau bėga per kraštus...

Volteris, išgirdęs apie Šermeinos pokyčius, pernelyg nesistebėjo.

– Matyt, Edas sugriebė ją į nagą, – tarė jis sukdamas šakute spagečius ir nugnybdamas juos šaukštu. – Man regis, jis neuždirba tiek pinigų, kad galėtų sau leisti tokią prabangą. Juk vien tarnaitės laikymas atsieina mažiausiai šimtinę per savaitę.

– Bet apskritai pasikeitė jos *požiūris*, – aiškino Džoana. – Mažų mažiausiai tikiesi kažkokio nepasitenkinimo, o vietoje to ji...

– Ar žinote, kiek Džeremis gauna kišenpinigių? – įsiterpė Pytas.

– Jis dvejais metais už tave vyresnis, – atkirto Volteris.

– Žinau, kad tai, ką dabar paskysiu, nuskambės kaip visiški kliedesiai. Aš tik prašau išklausyti ir nesijuokti. Yra taip: arba aš teisi, arba man visiškai nuvažiavo stogas ir reikalinga medikų pagalba, – Bobė knaibė savojo mėsainio su sūriu bandelę.

Džoana, žiūrėdama į ją, nurijo tokio paties mėsainio kąsnį ir tarė:

– Gerai, pasakok.

Juodvi sėdėjo automobilyje prie „McDonald's" restorano, esančio Ystbridžo plente, ir valgė.

Bobė atsikando šiek tiek mėsainio, pakramtė ir nurijo.

– Prieš keletą savaičių žurnalas *„Time"* išspausdino vieną straipsnį, – pradėjo Bobė. – Norėjau tau atvežti paskaityti, bet greičiausiai tą numerį būsiu išmetusi.

Ji žvilgtelėjo į Džoaną.

– Ten rašoma, kad El Paso mieste, Teksaso valstijoje, itin mažas nusikalstamumo lygis, – tęsė Bobė. – *Berods* ten buvo El Pasas. Bet kuriuo atveju, kažkur Teksase nusikalstamumas ženkliai mažesnis nei *visoje* valstijoje. To priežastis – kažkokios cheminės medžiagos, slypinčios dirvožemyje ir patenkančios į geriamą vandenį. Jos „nuramina gyventojus ir sumažina įtampą". Dievaži, taip ir parašyta.

– Aš kažką prisimenu, – Džoana pritariamai linktelėjo. Rankoje ji laikė mėsainį su sūriu.

– Džoana, – tarė Bobė, – aš manau, kad *čia*, Stepforde, irgi kažkas panašaus yra. Juk tai įmanoma, tiesa? Pagalvok apie tas neįprastas gamyklas Devintojoje... Visokiausia elektronika, kompiuteriai, aviacinis kosminis šlamštas. O juk už tų gamyklų teka Stepfordo upelis. Kas žino, *kokį* šūdą jie išpila į aplinką.

– *Ką* nori pasakyti? – paklausė Džoana.

– O tu tik pagalvok, – tarė Bobė. Ji sugniaužė laisvąją ranką į kumštį ir iškėlė mažąjį pirštą.

– Šermeina pasikeitė ir tapo namų šeimininkė, – tęsė Bobė. Ji iškėlė aukštyn bevardį pirštą. – Toji moteris, su kuria kalbėjaisi, buvusi klubo prezidentė. Kiek suprantu, *ji* taip pat pasikeitė, taip? Anksčiau juk tokia nebuvo.

Džoana linktelėjo.

Bobė iškėlė dar vieną pirštą

– Moteris, su kuria Šermeina žaidė tenisą prieš mums ėmus lankytis jos namuose. Ji taip pat pasikeitė. Pati Šermeina minėjo.

Džoana suraukė antakius. Iš maišelio, padėto tarp jųdviejų, ji išsitraukė skrudintą bulvytę.

– Tu manai, jog viskas dėt tų... *chemikalų?* – tarė Džoana.

Bobė pritariamai linktelėjo.

– Arba jie teka iš vienos tų gamyklų, arba visai *čia pat*, panašiai kaip El Pase, – pareiškė Bobė ir nuo prietaisų skydo paėmė kavos puodelį. – Taip ir *yra*. Juk nepavadinsi sutapimu to, kad visos Stepfordo moterys vienodos. Galvą guldau, jog kai kurios iš tų, su kuriomis kalbėjomės, tikrai priklausė klubui. Prieš kelerius metus jos *plojo Betei Fridan*, o į ką jos panašios dabar. *Jos taip pat pasikeitė.*

Džoana suvalgė bulvytę ir atsikando mėsainio. Bobė krimstelėjo savojo ir sriubtelėjo kavos.

– Čia *kažkas* yra, – vėl prabilo Bobė. – Dirvožemyje, vandenyje, ore. Nežinau kur. Bet toji medžiaga priverčia moteris domėtis tik namų ruoša ir niekuo daugiau. Kas pasakys, koks tų chemikalų poveikis? *Nobelio premijos* laureatai ir tie kol kas nelabai išmano. Gal tai kažkoks hormoninis preparatas. Tai bent jau paaiškintų, iš kur jos visos turi tokius nerealius papus. Juk pastebėjai?

– Aišku, pastebėjau, – atsakė Džoana. – Kaskart, užėjusi į prekybos centrą, pasijuntu lyg būčiau paauglė.

– Dėl Dievo meilės, *aš* jaučiuosi lygiai taip pat, – tarė Bobė. Ji padėjo kavos puodelį ant prietaisų skydo ir paėmė iš maišelio keletą skrudintų bulvyčių.

– Na, tai kaip? – galiausiai pratarė.

– Mano galva, tai... įmanoma, – pareiškė Džoana. – Bet sutik, jog skamba visiškai... nerealiai.

Ji paėmė puodelį nuo prietaisų skydo. Nuo karšto garuojančio gėrimo aprasojo priekinis stiklas.

– Beveik El Paso atvejis, – tarė Bobė.

– Žymiai keisčiau, – paprieštaravo Džoana. – Juk paveiktos tik moterys. Ką apie tai galvoja Deivas?

– Aš jam dar nepasakojau. Norėjau patikrinti, kokia bus tavo reakcija.

Džoana gurkštelėjo kavos.

– Manding, tai visai *galimas dalykas,* – pasakė ji. – Aš tikrai *nemanau*, kad tau nuvažiavo stogas. Pirmiausia turime parašyti labai ramų laišką valstijos...kaip jį ten?.. sveikatos departamentui? Aplinkos apsaugos komisijai? Bet kokiai įstaigai, kuri turi įgaliojimus ištirti šį reikalą. Reiktų paieškoti bibliotekoje.

Bobė papurtė galvą.

– Mm-mmm, – numykė ji. – Aš *dirbau* valstybinėje įstaigoje. Geriau pamiršk. *Aš* manau, kad pirmiausia reikia nešti iš čia kudašių. O *tada* pulti rašyti laiškų.

Džoana pažvelgė į ją.

– Aš rimtai, – tarė Bobė. – Medžiaga, kuri Šermeiną pavertė namų šeimininke, lygiai taip pat sėkmingai paveiks *mane*. Arba *tave*. Kas sukliudys?

– Oi, *baik* pokštus, – nusiviepė Džoana.

– Čia kažkas vyksta, Džoana! Aš nejuokauju! Tai kažkoks zombių miestelis! Juk Šermeina atsikraustė liepą, *aš* apsigyvenau rugpjūtį, o *tu* – rugsėjį!

– Gerai, nusiramink, aš ne kurčia.

Bobė atsikando didžiulį kąsnį mėsainio. Džoana siurbtelėjo kavos ir vėl suraukė antakius.

– Galbūt aš klystu, – suvebleno Bobė pilna burna, – galbūt čia nėra jokių chemikalų...

Ji nurijo kąsnį.

– Bet tu man atvirai pasakyk, ar tikrai nori čia gyventi? Abi turime vieną bendrą draugę. Suradau ją praėjus trims mėnesiams nuo atvykimo į Stepfordą. Tiesa, tu laukei mėnesiu trumpiau. Ar *šitaip* įsivaizduoji tobulą bendruomenę? Buvau nuvykusi į Norvudą pasidaryti šukuosenos tavo vakarėliui. Mačiau ten *daugybę* moterų, skubančių ir netvarkingų, supykusių ir gyvybingų. Norėjau pribėgti prie kiekvienos ir apkabinti!

– Susirask draugių Norvude, – patarė šypsodama Džoana. – Juk turi automobilį.

– Tu tokia velniškai nepriklausoma! – Bobė paėmė nuo prietaisų skydo kavos puodelį. – Paprašysiu Deivo kraustytis. Čia namą parduosime, o nusipirksime kur nors Norvude ar Ystbridže. Aišku, bus tik papildomas galvos skausmas, rūpesčiai ir kraustymosi išlaidos. Tačiau aš pasiryžusi užstatyti ir brangenybes, jeigu tik Deivas paprašys.

– Tu manai, jis sutiks kraustytis?

– Tegul tik pamėgina atsisakyti, velniai griebtų! Aš paversiu jo gyvenimą nesibaigiančiu pragaru. Iš pat pradžių norėjau gyventi Norvude, tačiau jis pareiškė, kad ten per daug britų kilmės protestantų. Žinai, jau geriau tegul mane užbaladoja protestantai, negu nunuodija velniaižin kas. Taip išeina, jog kurį laiką tau teks apsieiti be draugių. Nebent *pasikalbėtum* su Volteriu.

– Apie *kraustimąsi*?

Bobė linktelėjo. Žvelgdama į Džoaną, ji gurkštelėjo kavos.

Džoana papurtė galvą.

– Negaliu jo prašyti dar kartą kraustytis, – tarė ji.

– Kodėl? Juk jis trokšta, kad būtum laiminga, tiesa?

– Matai, gal aš ir esu laiminga. Be to, ką tik baigiau įrenginėti tamsųjį kambariuką.

– Nuostabu, – tarė Bobė. – Pasilik čia. Tapk panaši į visas savo kaimynes.

– Bobe, čia *ne* chemikalai. Prielaida *įmanoma*, bet jeigu atvirai, tai aš netikiu. Rimtai.

Juodvi dar šiek tiek pasikalbėjo, kol baigė valgyti. Tuomet nuvažiavo Ystbridžo plentu ir pasuko į Devintąją. Pravažiavo pro prekybos molą ir antikvarines parduotuves, kol atsidūrė greta pramonės gamyklų.

– Nuodytojų gatvė, – tarė Bobė.

Džoana pažvelgė į dailius, žemus šiuolaikinius pastatus, stovinčius atokiau nuo gatvės, ir atskirtus vienas nuo kito plačiomis žaliomis pievelėmis: „Ulitz Optics“ (kur dirba Herbis Sandersenas), „CompuTech“ (Vikas Stavrosas, o gal jis dirba „Instatron“?), „Stevenson Biochemichal“, „Haig–Darling Computers“, „Burnham–Massey–Microtech“ (Deilas Koba (fui!) ir Klodas Akselmas), „Instatron“, „Reed & Saunders“ (Bilas Makormikas, įdomu, kaip Mardžės sveikata?), „Vesey Electronics“ ir pagaliau „AmeriChem–Willis“.

– Lažinamės iš penkių žalių, kad jie vykdo nervus paralyžiuojančių dujų bandymus.

– *Apgyvendintoje* zonoje?

– Kodėl gi ne? Toji šutvė, sėdinti Vašingtone, sugeba dar ne tokių dalykų.

– Jėzau, Bobe, *liaukis*!

Volteris pastebėjo, kad kažkas neduoda Džoanai ramybės ir netruko pasidomėti, kas nutiko.

Džoana pasakė:

– Tu turi svarbesnių darbų. Juk privalai parengti sutartį.

– Turiu visą savaitgalį. Baik slapukauti, kas yra?

Kol gremžė ir dėliojo indus į plautuvę, Džoana papasakojo jam apie Bobės ketinimus išsikraustyti ir apie jos „El Paso teoriją".

– Man toji Bobės teorija atrodo tempte pritempta, – pareiškė Volteris.

– Man irgi, – pritarė Džoana. – Tačiau nepaneigsi, jog moterys čia *tikrai* pasikeičia. Ir, po perkūnais, virsta tikromis kvaišomis. Jeigu Bobė išsikraustys, o Šermeina negrįš į savo vėžias... kai ji dar pakenčiamai...

– Ar tu nori išsikraustyti? – tiesiai šviesiai paklausė Volteris.

Ji neryžtingai pažvelgė į jį.

– Ne, – pagaliau ištarė. – Tik ne dabar, kai bemaž įsikūrėme. Namas išties puikus... Antra vertus, taip...Neabejoju, kad Norvude ar Ystbridže būčiau laimingesnė. Reikėjo ten būsto pasiieškoti.

– Mirk iš juoko, koks aiškus atsakymas, – įgėlė Volteris šypsodamas. – Ir ne, ir taip.

– Santykis būtų: šešiasdešimt ir keturiasdešimt, – tarė ji.

Jis atsitiesė. Mat visą tą laiką užsikniaubęs ant stalo klausėsi Džoanos.

– Gerai, – pasakė jis. – Sutarkime šitaip. Kai santykis taps nulis ir šimtas, mes išsikraustysime.

– Tikrai? – nepatikėjo Džoana.

– Žinoma, – patvirtino Volteris. – Jeigu tik pasijusi čia nelaiminga... Aišku, nenorėčiau kraustytis mokslo metų įkarštyje...

– Ne, ne, aišku, kad ne.

– Tačiau galėtume išsikraustyti kitą vasarą. Nemanau, kad daug prarastume. Taip, sugaištume laiko, turėtume kraustymosi išlaidų ir galbūt už namą prarastume kažkiek pinigų.

– Tą patį ir Bobė minėjo.

– Vadinasi, viskas priklauso nuo tavo sprendimo, – jis pažvelgė į savo rankinį laikrodį ir išėjo iš virtuvės.

– Volteri? – pašaukė Džoana, brūkštelėjusi rankomis per rankšluostį.

– Ką?

Ji nuėjo ten, kur galėjo jį matyti. Sustojusi prieškambaryje, nusišypsojo ir tarė:

– Ačiū. Dabar jaučiuosi geriau.

– Juk tau tenka praleisti šiuose namuose visą dieną, o ne man, – tarė Volteris, nusišypsojo jai ir įžengė į darbo kambarį.

Ji žiūrėjo jam įkandin, po to apsisuko ir žvilgtelėjo pro praėjimą į bendrąjį kambarį. Pytas su Kim sėdėjo ant grindų ir žiūrėjo televizorių. Keisčiausia, jog ekrane šmėžavo prezidentai Kenedis ir Džonsonas. Ne, įsižiūrėjusi, ji suprato, kad tai viso labo judančios figūros. Dar kiek luktelėjusi, Džoana grįžo į virtuvę prie kriauklės ir išplovė paskutiniąsias lėkštes.

Deivas taip pat norėjo išsikraustyti mokslo metams pasibaigus.

– Jis sutiko taip greitai, kad aš vos nenugriuvau iš nuostabos, – pranešė Bobė kitą rytą telefonu. – Tik viliuosi, kad mums *pavyks* išsikraustyti iki kitų metų birželio.

– Verčiau gerk vandenį iš butelių, – patarė Džoana.

– O tu manai, jog aš taip nedarysiu? Ką tik nusiunčiau Deivą į parduotuvę nupirkti gėlo vandens.

Džoana nusijuokė.

– Juokis, juokis, – tarė Bobė. – Tik keletas papildomų centų per dieną... Žinai, atsarga gėdos nedaro. Rašau sveikatos departamentui. Tik turiu bėdą. Kaip tą laišką parašyti, kad nepasirodyčiau esanti kokia nukvakusi senučiukė? Gal pagelbėtum ir dar savo parašą padėtum?

– Žinoma, – sutiko Džoana. – Būtinai atvažiuok. Volteris kaip tik ruošia kredito sutartį, manau, mielai paskolins mums keletą protingų sakinių.

Ji padėjo Pytui ir Kim suklijuoti koliažus iš rudeninių medžių lapų, po to pagelbėjo Volteriui sudėti antruosius langus ir dalyvavo jo verslo partnerių vakarėlyje didmiestyje (tai buvo eilinė nuobodybė, kur visi apsimestinai draugiški, o apie žmogų sprendžiama iš drabužių). Agentūra atsiuntė čekį: du šimtus dolerių už keturiskart panaudotą jos geriausią nuotrauką.

Prekyvietėje ji susitiko Mardžę Makormik. Toji patvirtino tikrai pasigavusi kažkokį virusą ir sirgusi, bet dabar, dėkui, jaučiasi puikiai. Ūkio prekių skyriuje Džoana susidūrė su Frenku Rodenberiu („Labas, Džoana! Kaip lai-laikotės?“), o vos išėjusi laukan – bene kaktomuša su moteriške iš „Naujakurių priėmimo“.

– Žinot, juodaodžių šeima atsikrausto į Gvendolinos gatvę. Manding tai visai *gerai,* tiesa?

– Taip. Tiesa.

– Ar jau pasiruošėt žiemai?

– Dabar taip, – tarė Džoana ir šypsodama parodė maišą paukščių lesalo, kurį ką tik nusipirko.

– Čia tikrai gražu! – tarė moteris iš „Naujakurių priėmimo“. – Juk jūs fotografuojate, taip? Tai paskirkite visą dieną ir apžiūrėkite apylinkes!

Džoana paskambino Šermeinai ir pakvietė ją papietauti.
– Atleisk, Džoana, bet aš negaliu, – pareiškė Šermeina. – Turiu tiek daug darbo namuose. Juk žinai, kaip būna.

Šeštadienio popietę apsilankė Klodas Akselmas. Įdomiausia, kad atėjo jis ne pas Volterį, o pas ją. Rankoje laikė lagaminėlį.
– Čia toks projektas, prie kurio darbavausi laisvu laiku, – paaiškino jis žingsniuodamas po virtuvę, kol Džoana užplikė jam puodelį arbatos. – Galbūt apie jį esate girdėjusi. Prašiau žmonių įskaityti į magnetinę juostelę mano pateiktus žodžių ir garsų rinkinius. Vyrai įrašinėja Draugijos pastate, o moterys – namuose.
– Štai kaip, – tarė Džoana.
– Jie pasako man, kur yra gimę, – tęsė vyriškis, – kokiose vietovėse ir kaip ilgai gyvenę.
Jis vaikščiojo ratu ir ranka lietė spintelės rankenėles.
– Galiausiai ketinu suvesti visą informaciją į kompiuterį, kiekvieną juostelę su geografiniais duomenimis. Surinkęs pakankamai pavyzdžių, galėsiu pateikti kompiuteriui informaciją *be jokių* geografinių duomenų... – jis pirštų galiukais perbėgo spintelės paviršiumi, žvelgdamas į Džoaną savo skaisčiomis akimis. – Pakaks labai *nedaug* informacijos, keleto žodžių ar vieno sakinio, o kompiuteris pateiks asmens geografinę charakteristiką: kur tas gimęs ir gyvenęs. Tai lyg elektroninė Henrio Higinso versija. Ir tai nėra vien triukas. Šia programą bus galima pritaikyti policijos darbe.
Džoana tarė:
– Žinot, mano draugė Bobė Markovė...
– Na taip, Deivo žmona.
–...susirgo laringitu įrašinėdama tuos jūsų žodžius.

– Nes ji skubėjo, – paaiškino Klodas. – Ji atliko visą darbą per du vakarus. Jums nereikia taip skubėti. Paliksiu magnetofoną. Įrašinėkite tiek laiko, kiek norite. Ar sutinkate? Labai man pagelbėtumėt.

Vidun sugrįžo Volteris. Jis su Pytu ir Kim vidiniame kieme už namo degino lapus. Klodas pasisveikino. Volteris atsakė tuo pačiu. Jiedu paspaudė vienas kitam rankas.

– Atsiprašau, – tarė Volteris Džoanai. – Turėjau perspėti, kad Klodas ateis šnektelti su tavimi. Kaip manai, ar galėsi jam pagelbėti?

Ji atsakė:

– To laisvo laiko tiek nedaug...

– Galite įrašinėti ir priešokiais, – nuramino Klodas. – Man nesvarbu, jeigu užtruksite ir keletą *savaičių*.

– Na, jeigu neprieštaraujate, kad magnetofonas šitaip ilgai bus pas mus...

– Mainais siūlau jums dovaną, – tarė Klodas ir, padėjęs lagaminėlį ant stalo, atsegė jį. – Paliksiu papildomą juostelę, į kurią galite įrašyti lopšines ar šiaip daineles, kurias dainuojate vaikams, o aš jas vėliau perrašysiu į plokštelę. Tarkim, kurį nors vakarą jūsų nebus namuose. Tuomet auklė galės pagroti vaikams plokštelę.

– Ak, būtų puiku, – pasakė Džoana, o Volteris pridūrė:

– Galėtum įdainuoti „Labos nakties dainelę“ arba „Labas rytas, sauluže“.

– Ką tik panorėsite, – patikino Klodas. – Kuo daugiau, tuo smagiau.

– Verčiau einu į lauką, – tarė Volteris. – Laužas dar dega. Iki pasimatymo, Klodai.

– Iki, – atsakė Klodas.

Džoana padavė Klodui puodelį arbatos, o jis parodė, kaip naudotis magnetofonu ir įrašinėti. Tai buvo gražus daikčiukas juodos odos dėkle. Klodas paliko Džoanai aštuonias geltonas dėžutes su magnetinėmis juostelėmis ir juodos spalvos segtuvą.

– Jėzau, čia tiek daug, – pasakė Džoana sklaidydama užlankstytus ir vėl ištiesintus lapus su atspausdintais trigubais žodžių ir garsų stulpeliais.

– Viskas vyksta labai greitai, – patikino Klodas. – Tiesiog įprastu balsu raiškiai perskaitykite žodį ir prieš skaitydama kitą padarykite nedidelę pauzę. Tik stebėkite, kad įrašo indikatoriaus adatėlė neperžengtų raudonos ribos. Norite pamėginti?

Padėkos dienos pietus jie valgė drauge su Volterio broliu Denu ir jo šeima. Tai buvo Volterio ir Deno motinos sumanymas, turėjęs padėti broliams susitaikyti. Susipyko jie prieš daugybę metų dėl tėvo sklypo. Tačiau ginčas vėl įsiplieskė, šįkart kupinas kartėlio, nes ginčo objekto vertė rinkoje smarkiai išaugo. Volteris ir Denas šaukė, jų motina šaukė dar garsiau, o Džoanai, kai jie visi jau važiavo namo, teko sunkiai aiškinti Pytui ir Kim tokio elgesio priežastis.

Ji nupaveikslavo Bobės vyresnėlį Džonataną, palinkusį prie mikroskopo, ir vyrus ant hidraulinio krano aikštelės, karpančius medžių šakas Norvudo plente. Ji stengėsi sudaryti aplanką iš mažiausiai tuzino aukščiausios kokybės nuotraukų, kad apstulbintų agentūrą ir galiausiai pasirašytų sutartį.

Pirmasis sniegas iškrito tą naktį, kai Volteris buvo Vyrų draugijos susirinkime. Džoana pro darbo kambario langą žvelgė į krentantį sniegą. Smulkias spindinčias baltas kruopeles, besisukančias verpetais lauko žibinto šviesoje. Pagalvojus, tikra smulkmė. Tačiau netrukus sniego padaugės. Bus daug džiaugsmo ir gerų nuotraukų. Nesibaigiantys rūpesčiai dėl žieminių batų ir drabužių.

Kitoje gatvės pusėje, Kleibrukų svetainės lange, sėdėjo Donna Kleibruk ir išsijuosusi šveitė daiktą, kuris itin panėšėjo į sporto trofėjų. Darbavosi vienodais mechaniniais judesiais. Džoana kurį laiką ją stebėjo, o po to papurtė galvą. *„Jos niekada nesiliauja, tos Stepfordo moterys“*, – pagalvoji ji.

Mintis nuskambėjo tarsi pirmoji eilėraščio eilutė.

Jos niekada nesiliauja, tos Stepfordo moterys. Jos visą savo gyvenimą kažką, kažką veikia. Dirba it robotai. Taip, šitas tiks. *Jos visą savo gyvenimą dirba it robotai.*

Ji nusišypsojo. Pamėgink nusiųsti *tokį* dalyką į *„Kroniką“*.

Džoana nužingsniavo prie rašomojo stalo, atsisėdo ir patraukė rašiklį, kurį paliko kaip žymeklį ant spausdinto puslapio. Akimirką ji įsiklausė į tylą, sklindančią iš viršaus, o tada įjungė magnetofoną. Įbedusi pirštą į popieriaus lapą, ji pasilenkė virš mikrofono, kuris styrojo priešais Aiko Mazardo pieštą, įrėmintą Džoanos portretą.

– Imti, ima, ėmė, – perskaitė ji. – Talkas, talentas, talentingas. Kalbėti, kalbus, kalbėjo. Kalbėtojas, kalbėti, kalba.

Antroji dalis

Ji nutarė, jog meilytų išsikraustyti tik tuomet, kai surastų bemaž tobulą namą. Tokį, kuriame būtų pakankamai reikiamo dydžio kambarių ir kurio iš esmės nereikėtų remontuoti. O svarbiausia, kad namas turėtų tamsųjį kambariuką ar kažką velniškai panašaus. Kaina – ne didesnė nei penkiasdešimt du su puse tūkstančio, kuriuos jie mokėjo (ir, anot Volterio, vis dar įstengtų už tiek parduoti) už būstą Stepforde.

Žinoma, tai buvo perdėti reikalavimai, todėl Džoana neketino skirti itin daug dėmesio jų įgyvendinimui. Tačiau gruodžio pradžioje, vieną vaiskų ir šaltą rytą juodvi su Bobe išsirengė į naujų namų paieškas.

Bobė ieškojo mažne *kiekvieną* rytą – Norvude, Ystbridže ir Naujajame Šarone. Vos tik atradusi ką tinkama (o Bobės reikalavimai buvo paprastesni nei Džoanos), ji ketino priversti Deivą kaipmat išsikraustyti. Nesvarbu, kad metų vidury berniukams tektų pakeisti mokyklą.

– Geriau trumpalaikė betvarkė jų gyvenime, nei amžiams suzombėjusi motina, – pareiškė Bobė. Ji iš tikrųjų gėrė vandenį tik iš butelių ir nevalgė vietos gamintojų tiekiamo maisto.

– Žinai, gal tu nusipirk deguonies balionėlių, – pasiūlė Džoana.

– Eik tu šikt. Aš jau įsivaizduoju, kaip tu negali atsidžiaugti „Ajakso“ privalumais ir visiems suoki, kad jis geresnis už kitus valiklius.

Toji būsto paieška paskatino Džoaną vėl susimąstyti. Moterys, sutiktos Ystbridže, – namų savininkės ir nekilnojamojo turto agentė panelė Kirgasa – atrodė itin judrios, gyvybingos ir linksmos. Jos tik patvirtino Stepfordo moterų nuobodybę. Negana to, Ystbridže virte virė bendruomenės gyvenimas. Čia klestėjo daugybė visuomeninės veiklos sričių moterims, o svarbiausia – moterims *ir* vyrams. Kūrėsi netgi Nacionalinės moterų organizacijos padalinys.

– Gal pirmiausia žvilgtelkime čionai? – paklausė panelė Kirgasa. Jos vairuojamas automobilis bauginančiu greičiu lėkė nesibaigiančiais kelio vingiais.

– Mano vyras girdėjo... – pradėjo sakinį Džoana. Ji sėdėjo įsitvėrusi ranktūrio, stebėjo kelią ir prabilo tik norėdama užsiminti vairuotojai apie stabdžius.

– Pas jus ten tikros *kapinės*. Mes gyvename žymiai šiuolaikiškiau, – nutraukė panelė Kirgasa.

– Puiku, bet mes vis tiek norėtumėm sugrįžti gyvos ir susipakuoti daiktus, – pareiškė ant galinės sėdynės įsitaisiusi Bobė.

Panelė Kirgasa šaižiai nusijuokė.

– Galiu važinėti šitais keliais užrištomis akimis, – tarė ji. – Kai apžiūrėsite šitą namą, norėčiau jums parodyti dar du.

Grįžtant į Stepfordą, Bobė pareiškė:

– Toks darbas kaip tik man. Nuspręsta, tapsiu nekilnojamojo turto agente. Važinėji, susipažįsti su žmonėmis, apžiūri visus jų namų užkaborius. Priedo gali pati nustatyti savo darbo valandas. Rimtai. Reikia sužinoti, kokie ten reikalavimai.

Neilgtrukus jos sulaukė dviejų puslapių laiško iš Sveikatos departamento. Jame juodvi patikinamos, kad dėmesys aplinkosaugai yra ir valstijos, ir apygardos vadovybių bendras reikalas. Pramonės įmonės visoje valstijoje privalo laikytis griežtų aplinkos apsaugos reikalavimų. Siekiant užtikrinti reikalavimų vykdymą, visos pramonės įmonės ne tik dažnai tikrinamos, bet ir nuolat atliekami dirvožemio, vandens bei atmosferos tyrimai, tačiau jokių kenksmingų taršos požymių Stepfordo apylinkėse nenustatyta. Taip pat nerasta jokių savaime susidarančių cheminių medžiagų, turinčių raminamąjį ar slopinamąjį poveikį. Akivaizdu, kad jųdviejų nerimas neturėjęs pagrindo, tačiau departamentas vis vien dėkojąs už laišką.

– Šūdas, – tepasakė Bobė ir toliau gėrė pirktą vandenį iš butelių. Dabar ji nuolat atsiveždavo pas Džoaną termosą karštos kavos.

Kai ji atėjo iš vonios kambario, rado nusigrįžusį Volterį, gulintį savoje lovos pusėje. Džoana atsisėdo ant lovos krašto, išjungė naktinę lempą ir šmurkštelėjo po antklode. Kurį laiką gulėjo ant nugaros ir spoksojo į lubas, kurios po truputį įgavo kontūrus.

– Volteri? – tarė ji.

– Mm?

– Ar tau buvo gera? – pasiteiravo ji. – Tik atvirai.

– Tai žinoma, – patikino jis. – O tau ne?

– Man irgi, – atsakė Džoana.

Jis tylėjo.

– Mane apėmė nuojauta, kad tau nepatiko, – pasakė ji. – Paskutiniuosius... keletą kartų.

– Ką tu, – tarė jis. – Viskas buvo puiku. Kaip visuomet.

Ji gulėjo ir žiūrėjo į lubas. Pagalvojo apie Šermeiną, kuri nesileisdavo Edo pagaunama (o gal ji pakeitė ir *šią* nuostatą?) ir prisiminė Bobės pastabą apie Deivo keistenybes.

– Labanakt, – ištarė Volteris.

– Klausyk, gal yra dalykų, kurių nedarau, o tu norėtum, kad daryčiau? – paklausė ji. – O gal aš kažką *ne taip* darau? Gal *darau* tai, ko nenori? Tu pasakyk...

Jis kiek patylėjo, o paskui tarė:

– Svarbu, kad *tu* nori.

Jis apsivertė ant pilvo ir, pasirėmęs alkūne, sužiuro į ją.

– Aš rimtai, – pasakė jis ir nusišypsojo. – Viskas puiku. Galbūt aš paprasčiausiai pervargau nuo to nuolatinio važinėjimo į darbą ir atgal.

Jis pakštelėjo Džoanai į skruostą.

– Miegok, – tarė jis.

– Ar tu... susitikinėji su Estera?

– Jėzau... dėl Dievo meilės! – apstulbo Volteris. – Ji draugauja su „*Juodąja pantera*“*. Aš neužmezgiau jokio romano.

– Juodąja pantera?

– Taip bent jau Donui pasakė *jo* sekretorė. Mes net *nekalbame* apie seksą. Aš viso labo taisau jos rašybos klaidas. Liaukis, einam miegoti.

Jis pabučiavo Džoaną į skruostą ir nusisuko.

Ji apsivertė ant pilvo ir užsimerkė. Ji muistėsi ir krutėjo stengdamasi kaip įmanoma patogiau įsitaisyti.

* Taip vadinamas prieštaringai vertinamos juodaodžių amerikiečių organizacijos, įkurtos 1966 m. ir revoliucinėmis priemonėmis siekusios įgyvendinti ekonominį, socialinį bei politinį teisingumą, narys.

Drauge su Bobe ir Deivu jie nuėjo į kiną Norvude. Po to visi praleido vakarą įsitaisę prie židinio ir juokais žaisdami „Monopolį“.

Šeštadienio naktį gausiai prisnigo, todėl Volteris, kad ir nelabai norom, paaukojo sekmadienio popietės rungtynių žiūrėjimą per televiziją ir nusivežė Pytą su Kim pasivažinėti rogutėmis po Žiemos kauburio apylinkes. Tuo tarpu Džoana iškeliavo į Naująjį Šaroną, kur išpyškino bemaž pusantros spalvotos juostelės paveiksluodama paukščių draustinyje.

Pytas gavo pagrindinį vaidmenį klasės rengiamame kalėdiniame vaidinime. Vieną vakarą grįždamas iš darbo Volteris pametė piniginę, o gal kažkas iškraustė jo kišenes.

Į agentūrą ji nuvežė šešiolika nuotraukų. Bobas Silverbergas, su kuriuo ji nuolat bendraudavo, nuoširdžiai susižavėjo darbais, tačiau paaiškino, kad šiuo metu agentūra su *niekuo* nepasirašinėja sutarčių. Nuotraukas jis pasiliko, pažadėjęs paskambinti po poros dienų, jeigu tik atsiras paklausa. Nusivylusi ji papietavo su savo sena drauge Doris Lombardo, o po to nupirko Kalėdų dovanėles Volteriui ir savo tėvams.

Dešimt nuotraukų sugrįžo. Tarp jų ir „Nedirba“, kurią Džoana iškart nusprendė nusiųsti į *„Saturday Review“* paskelbtą konkursą. Tarp šešių, kurias agentūra pasiliko ir apsiėmė platinti, pakliuvo „Tyrinėtojas“, kurioje įamžintas Džonis Markovė, parimęs prie savojo mikroskopo. Džoana kaipmat paskambino Bobei ir pranešė jai džiugią naujieną.

– Mokėsiu taviškiui dešimt procentų nuo bet kokios uždirbtos sumos, – pareiškė Džoana.

– Vadinasi, galime nebeduoti jam kišenpinigių?

– Geriau duokite. Geriausia mano nuotrauka yra uždirbusi viso labo tūkstantį, kitos dvi – po du šimtus žalių.

– Ne taip jau blogai vaikiui, kuris panašus į Piterį Lorį*, – pasakė Bobė. – Kalbu apie Džonį, o ne tave. Klausyk, kaip tik norėjau tau skambinti. Ar galėtum savaitgalį prižiūrėti Adamą? Ar sutiktum?

– Žinoma, – patikino ji. – Pytas su Kim labai apsidžiaugs. O kas nutiko?

– Deivui stogas nuvažiavo, todėl savaitgalį norėtume pabūti vieni. Tik dviese. Antrasis medaus mėnuo, taip sakant.

Džoaną apėmė jausmas, kad visa tai jau yra girdėjusi ir išgyvenusi. Paramnezija, ne kitaip. Ji nuvijo šalin tą jausmą ir tarė:

– Nuostabu.

– Džonis su Keniu pagyvens pas kaimynus, – tarė Bobė. – Pamaniau, kad Adamui labiau patiks pas jus.

– Tai aišku, – pritarė Džoana. – Šitaip Pytas ir Kim bent jau rečiau kibs vienas kitam į plaukus. Ką veiki? Gal važiuosi į miestą?

– Ne, sėdžiu namuose ir laukiu nesulaukiu, kol mus visai užsnigs. Atvešiu Adamą rytoj po pamokų, gerai? O pasiimsiu sekmadienį popiet.

– Gerai. Kaip sekėsi namo paieška?

– Prastai. Šįryt nužiūrėjau vieną gražuolį Norvude. Tik bėda, kad gyventojai išsikrausto ne anksčiau balandžio pirmosios.

– Tai pasilik čia.

* *Peter Lorre (1904–1964)* – vengrų kilmės Holivudo aktorius. Buvo panašus į tikrą nykštuką: žemaūgis, apskrito veido, išsprogusių akių ir retais dantimis. Vaidino Frico Lango, Alfredo Hičkoko, Džono Hjustono ir kitų garsių režisierių filmuose.

– Dėkui, bet ne. Gal susitinkam?

– Negaliu. *Reikia* šį bei tą sutvarkyti. Rimtai.

– Matai? Tu keitiesi. Tie Stepfordo kerai ėmė veikti.

Juodaodė moteris, vilkinti ruožuotą dirbtinio kailio švarkelį ir apsimuturiavusi oranžinės spalvos šaliku, stovėjo laukdama prie bibliotekos registracijos stalo. Jos rankų pirštų galiukai ilsėjosi ant sukrautos knygų krūvelės. Ji žvilgtelėjo į Džoaną ir linktelėjo, bemaž išspausdama šypseną. Džoana linktelėjo atsakydama ir taip pat šyptelėjo. Tuomet juodaodė pažvelgė kažkur į šalį: į tuščią kėdę prie stalo ir knygų lentynas, styrančias už kėdės. Tai buvo aukšta, trumpai apsikirpusi, didelių tamsių akių juodaplaukė, kurios oda spindėjo gelsvai ruda spalva. Tikrai egzotinės išvaizdos patraukli moteris. Kokių trisdešimties.

Žengdama link stalo Džoana nusimovė pirštines ir iš kišenės išsitraukė atviruką. Džoana užmetė akį į panelės Austrės stalą ir ant jo gulinčias knygas, saugomas ilgų ir plonų tamsiaodės pirštų. Airisės Merdok *„Nukirstoji galva“* * , o po ja – *„Žinau, kodėl narvelyje dainuoja paukštis“* ** ir *„Magas“* ***. Džoana pažvelgė į atviruką, kuriame pranešama, jog Skinerio knygą *„Laisvė ir orumas“* **** biblioteka sau-

* *Iris Murdoch* – XX a. anglų rašytoja, psichologinio romano meistrė. Žymiausi kūriniai: *„Juodasis princas“*, *„Šventoji ir pagoniškoji meilės mašina“* ir *„Jūra, jūra“*. Čia minimas romanas *„Nukirstoji galva“*, parašytas septintajame praėjusio amžiaus dešimtmetyje.

** Garsios juodaodės amerikietės poetės, rašytojos, dramaturgės, režisierės, prodiuserės ir piliečių teisių aktyvistės Majos Andželu (*Maya Angelou*) autobiografinė knyga. Bestseleris, pasakojantis apie autorės jaunystę.

*** Bene garsiausias vieno įdomiausių XX a. anglų rašytojo Džono Faulzo (*John Fowels*) romanas.

**** *Burrhus Frederic Skinner* (1904–1990) – amerikietis psichologas, biheviorizmo mokyklos atstovas, parašęs daugybę knygų ir straipsnių.

gos jai iki gruodžio dvyliktos dienos. Ji norėjo pasakyti kažką draugiška ir nuoširdaus. Akivaizdu, jog laukiančioji (kažkieno žmona ar dukra) priklausė tai juodaodžių šeimai, apie kurios atsikraustymą į Stepfordą užsiminė moteriškė iš „Naujakurių priėmimo". Tačiau tuo pat metu Džoana nenorėjo pasirodyti esanti kokia globėjiška liberalių pažiūrų baltaodė. Ar ji ką nors pasakytų, jeigu toji moteris nebūtų juodaodė? Taip, tokioje situacijoje ji...

– Nors imk ir neškis viską, kas patinka, – tarė juodaodė.

Džoana nusišypsojo jai ir pasakė:

– Gal ir vertėtų taip padaryti. Užtat kitą kartą sėdėtų darbo vietoje.

Galvos linktelėjimu ji parodė link stalo.

Juodaodė nusišypsojo.

– Ar čia visuomet taip tuščia? – pasidomėjo.

– Anksčiau neteko matyti, kad *šitaip*..., – atsakė Džoana. – Antra vertus, aš lankausi tik po pietų ir šeštadieniais.

– Ar seniai gyvenate Stepforde?

– Jau trys mėnesiai.

– O aš tik *trečia* diena, – tarė juodaodė.

– Tikiuosi, jums čia patiks.

– Manau, kad taip.

Džoana ištiesė ranką.

– Aš Džoana Eberhart, – prisistatė ji ir vėl nusišypsojo.

– Rutana Hendri, – pasakė juodaodė. Ji taip pat nusišypsojo ir paspaudė Džoanai ranką.

Džoana pirštų galiukais palietė savo kaktą ir prisimerkė.

– Palaukit. Aš *žinau* šitą vardą ir pavardę, – tarė ji.– Kažkur mačiau.

Moteris nusišypsojo.

– Ar turite mažamečių vaikų?

Džoana suglumusi linktelėjo.

– Parašiau knygelę vaikams *„Penė kažką sumanė"*, – pasakė moteris. – Ji ir čia yra. Jau spėjau peržvelgti katalogą...

– Na, *žinoma*, – susizgribo Džoana. – Kim buvo parsinešusi ją prieš kokias dvi savaites! Kaip man patiko! Rimtai. Kaip miela rasti knygelę, kurioje mergaitė tikrai kažką *veikia*, o ne vien tik verda arbatą savo lėlėms.

– Įmantri propaganda, – šypsodama ištarė Rutana Hendri.

– Jūs pati ir iliustravote, – dar prisiminė Džoana. – Piešiniai nepakartojami!

– Ačiū.

– Ar rašote dar vieną?

Rutana Hendri linktelėjo.

– Kaip tik pradėjau, – tarė ji. – Tačiau rimtai dirbti pradėsiu tik tuomet, kai visiškai įsikursime.

– Labai atsiprašau, – pasigirdo panelės Austrės balsas. Ji šlubčiodama artėjo iš salės gilumos. – Rytais čia taip ramu, kad aš, – ji stabtelėjo, mirktelėjo ir vėl pajudėjo, – einu dirbti į savo kabinetą. Reiktų įsitaisyt kokį skambutį, kad atėjusieji galėtų mane išsikviesti. Sveiki, ponia Eberhart.

Ji nusišypsojo ir Džoanai, ir Rutanai Hendri.

– Labas rytas, – pasisveikino Džoana. – Susipažinkite su viena iš savo rašytojų. Knygos *„Penė kažką sumanė"* autorė Rutana Hendri.

– Nejaugi? – panelė Austrė sunkiai atsisėdo į krėslą ir putliomis rausvomis rankomis įsitvėrė ranktūrių. – Labai populiari knyga, – tarė ji. – Turime du egzempliorius. Ir tai jau antras užsakymas. Pirmosios knygos seniai suskaitytos.

– Man *patinka* ši biblioteka, – tarė Rutana Hendri. – Ar galiu tapti jūsų skaitytoja?

– Ar gyvenate Stepforde?

– Taip, ką tik atsikrausčiau.

– Tuomet mielai prašom, – pasakė panelė Austrė. Ji atidarė stalčių, ištraukė baltą kortelę ir padėjo ją greta knygų krūvelės.

Juodvi stovėjo prie bufeto „Centro“ užkandinėje, kuri buvo visiškai tuščia (išskyrus du taksofonų meistrus). Rutana šaukšteliu maišė kavą. Žiūrėdama į Džoaną ji tarė:

– Pasakyk man vieną dalyką. Tik atvirai. Kaip reagavo vietos gyventojai į mūsų atsikraustymą?

– Kiek man žinoma, tai niekaip, – pasakė Džoana. – Čia ne toks miestelis, kur žmonės itin kreiptų dėmesį į... kažką. Netgi nėra vietos, kur jie galėtų susieti. Išskyrus Vyrų draugiją.

– Na, *vyrai* čia kaip vyrai, – tarė Rutana. – Ryt vakare ir Rojalas ketina tapti tos organizacijos nariu. Tik va *moterys* kaimynystėje...

– Oi, klausyk, – nutraukė Džoana. – Tavo odos *spalva* čia niekuo dėta, patikėk manim. Jos šitaip elgiasi su visais. Neranda laiko išgerti puodelio kavos, atspėjau? Užsiciklinusios dėl tos savo namų ruošos?

Rutana linktelėjo.

– Aš nelabai ir sielojuos, – prisipažino ji. – Esu labai savarankiška. Antraip vargu ar būčiau sutikusi kraustytis. Bet aš...

Džoana papasakojo jai apie Stepfordo moteris ir apie Bobę, kuri ketina netgi išsikraustyti, kad netaptų tokia kaip jos.

Rutana nusišypsojo.

– *Niekas* pasaulyje nepavers *manęs* namų šeimininke, – pareiškė ji. – Jeigu *jos* šitaip elgiasi tik dėl to, tai viskas gerai.

Maniau, kad priežastis – odos spalva. Nerimavau dėl savo mergaičių.

Ji augino dvi dukrytes. Vienai buvo šešeri, o kitai – tik ketveri metukai. Jos vyras Rojalas viename iš didmiesčio universitetų vadovavo sociologijos katedrai. Džoana papasakojo apie Volterį, Pytą ir Kim, o taip pat apie savo pomėgį fotografuoti.

Jos užsirašė viena kitos telefonų numerius.

– Kai rašiau knygą apie *Penę*, virtau tikra atsiskyrėle, – prisipažino Rutana. – Bet anksčiau ar vėliau aš tau paskambinsiu.

– Ne, aš *tau* paskambinsiu, – pasakė Džoana. – Jei būsi užsiėmusi, taip ir sakyk. Noriu supažindinti tave su Bobe. Net neabejoju, kad susidraugausite.

Kai abi patraukė prie automobilių, kuriuos pastatė prie bibliotekos, Džoana pastebėjo Deilą Kobą, žiūrintį į ją iš tolo. Jis stovėjo greta Istorijos draugijos kotedžo. Rankose laikė ėriuką. Aplink zujo būrelis vyrų. Jie statė Kalėdų prakartėlę. Džoana linktelėjo sveikindamasi, o Deilas, vis dar nepaleisdamas iš rankų ėriuko, kuris atrodė it gyvas, linktelėjo jai ir nusišypsojo.

Ji paaiškino Rutanai, kas tas vyriškis. Ir pasiteiravo, ar Rutana žinojusi, jog Aikas Mazardas gyvena Stepforde.

– Kas toks?

– Aikas Mazardas. Dailininkas iliustratorius.

Rutana apie jį nieko negirdėjusi. Džoana staiga pasijuto labai sena. Ir labai baltaodė.

Adamo viešnagė savaitgalį turėjo ir privalumų, ir nepatogumų. Šeštadienį jis drauge su Pytu ir Kim gražiausiai žaidė namuose ir lauke. Tačiau sekmadienis pasitaikė itin rūškanas ir šaltas. Volteris pareiškė užgrobiąs svetainę, nes ketino žiūrėti futbolo rungtynes (po praėjusio sekmadienio pasivažinėjimų rogutėmis šis jo noras buvo visiškai teisėtas). Tuo tarpu Adamas su Pytu iš pradžių tapo kareiviais ir įkūrė savo fortą po pietų stalu, užtiestu staltiese, po to jie virto keliautojais ir atradėjais rūsio užkaboriuose („Tik nelįskite į tamsųjį kambariuką!“) ir galiausiai – „Žvaigždžių tako“ veikėjais Pyto kambaryje. Keisčiausia, jog nepaisant to, ką jie žaidė, priešas išlikdavo vienas ir tas pats – Kimukė Kvailiukė. Berniukai triukšmavo, tačiau akylai stebėjo priešą, niekino jį ir rengėsi gynybai. O vargšė Kim atrodė *tikra* kvailiukė. Ji paprasčiausiai norėjo, kad berniukai priimtų ją žaisti drauge. Mergaitė atsisakė piešti spalvotomis kreidelėmis, jos nedomino negatyvų rūšiavimas, o tuo labiau sausainių kepimas. Džoana pasijuto bejėgė. Adamas su Pytu nekreipė dėmesio į grasinimus, Kim nesiklausė meilikavimų, o Volteris apskritai nieko nematė ir negirdėjo.

Džoana apsidžiaugė, kai Bobė ir Deivas atvažiavo pasiimti Adamo.

Pamačiusi, kokie jie laimingi ir kaip nuostabiai atrodo, Džoana apsidžiaugė ir dėl to, kad sutiko prižiūrėti Adamą. Bobė pasidarė šukuoseną ir panėšėjo į tikrą gražuolę. Veikiausiai bus kaltas makiažas arba geras mylėjimasis. O gal abu dalykai iš karto? Deivas tryško linksmumu, dvasine ramybe ir atrodė laimingas. Jiems įžengus pro duris, į prieškambarį plūstelėjo šalto oro banga.

– Labas, Džoana, kaip sekėsi? – užklausė Deivas trindamas pirštinėtas rankas.

Tuo tarpu Bobė, įsisupusi į meškėno kailinukus, tarė:

– Tikiuosi, Adamas nepridarė tau jokių rūpesčių?

– Nė truputėlio, – patikino Džoana. – Žinot, jūs abu atrodote nepakartojamai!

– Mes ir *jaučiamės* nepakartojamai, – pasakė Deivas.

Bobė nusišypsojo ir tarė:

– Tai buvo nuostabus savaitgalis. Ačiū, kad mums pagelbėjai.

– Nėra už ką, – išsigynė Džoana. – Kurį nors savaitgalį aš *jums* išnuomosiu Pytą.

– Mielai jį priglausime, – tarė Bobė.

Deivas pridūrė:

– Kada panorėsi, tik duok žinią. *Adamai? Laikas namo!*

– Jis viršuje, Pyto kambary.

Deivas pirštinėtomis rankomis prisidengė burną iš abiejų pusių ir sušuko:

– *A-da-mai! Mes jau čia! Susirink daiktus!*

– Gal nusivilkite, prisėskite, – pasiūlė Džoana.

– Reikia pasiimti Džoną su Keniu, – paaiškino Deivas.

Tuo tarpu Bobė tarė:

– Neabejoju, kad pasiilgai trupučio ramybės ir tylos. Greičiausiai čia buvo tikras beprotnamis.

– Na, tiesą pasakius, šis sekmadienis – ne pats ramiausias mano gyvenime. Tačiau vakar viskas buvo puiku.

– Sveikučiai! – tarė Volteris. Jis atėjo iš virtuvės, rankoje laikydamas taurę su gėrimu.

Bobė pasisveikino:

– Labas, Volteri.

Deivas neatsiliko:

– Sveikas, drauguži!

– Kaip praėjo antrasis medaus mėnuo? – pasiteiravo Volteris.

– Žymiai geriau nei pirmasis, – atsakė Deivas. – Tik gaila, kad trumpesnis.

Jis nusiviepė Volteriui.

Džoana pažvelgė į Bobę vildamasi, jog ši leptels kažką juokinga. Bobė jai nusišypsojo, o tada sužiuro į laiptų pusę.

– Labas, saldainiuk, – tarė ji. – Ar gerai praleidai savaitgalį?

– Aš nenoriu važiuoti namo, – pareiškė Adamas. Jis stovėjo viršuje kiek persikreipęs, nes laikė krepšį ir stengėsi, kad šis neliestų laiptų. Už jo spietėsi Pytas ir Kim. Mergaitė tarė:

– Ar jis gali pasilikti dar vieną naktį?

– Ne, aukseli, rytoj į mokyklą, – paaiškino Bobė.

Deivas tarė:

– Nagi, eik šen, vyre, mums dar reikia surinkti likusius klano narius.

Paniuręs Adamas nulipo laiptais, O Džoana nuėjo prie spintos atnešti jo paltų ir batų.

– Tiesa, – tarė Deivas, – turiu informacijos apie tas akcijas, kurios tave domina.

– O, puiku, – apsidžiaugė Volteris ir jiedu su Deivu patraukė į svetainę.

Džoana padavė Adamo paltą Bobei. Ši padėkojo ir išskleidė jį, kad Adamas apsirengtų. Krepšį berniukas padėjo ant grindų ir sukišo rankas į palto rankoves.

Džoana, laikydama Adamo batus, pasidomėjo:

– Ar duoti maišelį?

– Ne, nereikia, – patikino Bobė. Ji atsigrįžo į Adamą ir padėjo jam užsisegti sagas.

– Skaniai kvepi, – tarė Adamas.

– Dėkui, saldainiuk.

Tuomet jis pažvelgė į lubas ir į ją.

– Nemėgstu, kai *šitaip* mane vadini, – tarė jis. – Anksčiau *mėgau*, bet dabar ne.

– Atsiprašau, – pasakė Bobė. – Daugiau taip nevadinsiu. Ji nusišypsojo ir pakštelėjo jam į kaktą.

Volteris su Deivu grįžo iš svetainės. Adamas pasiėmė nuo grindų savo krepšį ir atsisveikino su Pytu ir Kim. Džoana padavė Bobei Adamo batus ir atsisveikindama prisilietė skruostu prie jos skruosto. Jis vis dar buvo šaltas. O Bobė išties *kvepėjo* skaniai.

– Pasikalbėsime rytoj, – tarė Džoana.

– Tai aišku, – užtikrino Bobė. Jos nusišypsojo viena kitai. Bobė pajudėjo link Volterio, stovinčio prie durų, ir atkišo jam skruostą. Kiek sudvejojęs (Džoana nusistebėjo, kodėl) jis galiausiai pakštelėjo.

Deivas pabučiavo Džoaną, paplekšnojo per petį Volteriui ir taręs: „Iki pasimatymo, dauguži,“ išvedė Adamą pro duris paskui Bobę.

– Ar dabar galime eiti į bendrąjį kambarį? – paprašė Pytas.

– Žinoma, jis – jūsų, – pareiškė Volteris.

Pytas nubėgo į kambarį, o Kim nusivijo jį įkandin.

Džoana ir Volteris stovėjo prie šalto laukujų durų stiklo ir žiūrėjo kaip Bobė, Deivas ir Adamas lipa į automobilį.

– Tiesiog pasaka, – tarė Volteris.

– Argi jie neatrodo pritrenkiančiai? – pasakė Džoana. – Net vakarėlyje Bobė nebuvo tokia graži. Kodėl nenorėjai jos pabučiuoti?

Akimirką Volteris tylėjo, o paskui atsakė:

– Ai, nežinau. Tas *skruostų* bučiavimas man velniškai primena pramogų verslą. Tikras spektaklis.

– Kažkaip nepastebėjau, kad anksčiau būtum prieštaravęs.

– Matyt, pasikeičiau, – tarė jis.

Ji stebėjo, kaip užsidaro automobilio durys ir blyksteli priekiniai žibintai.

– Gal *mums* irgi vertėtų pagalvoti apie savaitgalį dviese? – pasakė Džoana. – Jie pažadėjo pasiimti Pytą, o Van Santai, manyčiau, mielai prižiūrėtų Kim.

– Būtų nuostabu, – pripažino jis. – Iškart po švenčių.

– O gal, sakau, ją nuvežti pas Hendrius? – balsiai mąstė Džoana. – *Jie* kaip tik augina šešiametę. Be to, Kim neprošal susipažinti su juodaodžių šeima.

Automobilis išriedėjo iš kiemo, sužybsėjo raudonomis galinių žibintų švieselėmis ir nuvažiavo. Volteris uždarė antrąsias duris, užrakino jas ir spustelėjo lauko lempų jungiklį.

– Nori išgerti? – paklausė jis.

– Ir dar kaip, – atsakė Džoana. – Po šitokios dienos man būtina išgerti.

Tfu, koks bjaurus pirmadienis! Darbų – milijonas: sutvarkyti nusiaubtą Pyto kambarį, iškuopti visus namus, pervilkti patalynę, skalbti (o nešvarių drabužių susikaupė tiek, kad neduok, Dieve!), sudaryti rytdienos pirkinių sąrašą ir pailginti trejas poras Pyto kelnių. Štai *kokiais* darbais ji užsivertusi. Jau nekalbant apie *kitus*: Kalėdų dovanėlių pirkimą, atvirukų rašymą ir spektaklio kostiumo Pytui siuvimą (širdingas ačiū už *tai* panelei Terner). Ačiū Dievui, Bobė neskambino. Šiandien nėra laiko pašnekesiams prie kavos puodelio. *Ar ji buvo teisi?* Džoana nusistebėjo. *Ar aš keičiuosi?* Nė velnio. Retkarčiais *būtina* nudirbti susikaupusius namų ruošos darbus. Antraip šie namai taps panašūs į... na taip, į *Bobės* namus. Be to, tikroji Stepfordo namų šeimininkė viską nudirbtų ramiai ir stropiai. Ji neištrauktų iki pat galo dulkių siurblio laido, o po to negrūstų jo pirštais, mėgindama užvynioti ant volelio.

Ji užkūrė Pytui tikrą pragarą dėl to, kad jis nepadeda žaislų į vietą, kai nebežaidžia. Berniukas pyko bemaž valandą ir nesikalbėjo su ja. Kim tikriausiai persišaldė ir todėl kosėjo.

Nors buvo jo eilė, Volteris atsiprašė nuo darbo virtuvėje, išbėgo pro duris ir, sėdęs į pilną Herbio Sanderseno automobilį, išvažiavo į Vyrų draugijos susirinkimą. Ten dabar tikras darbymetis. Kalėdinių žaislų projektas. (Kam jis reikalingas? Ar Stepforde yra skurstančių vaikų? Kažkaip nė vieno ji nematė.)

Džoana sukarpė paklodę, iš kurios ketino siūti Pytui senio besmegenio kostiumą, pažaidė su abiem vaikais susikaupimo žaidimą (Kim sukosėjo tik kartą, bet verčiau laikyti špygą kišenėje), o tada sėdo rašyti atvirukų. Užrašė jų visą krūvą. Visiems iš eilės, pagal abėcėlę. Iki pat raidės „L“. Tuomet susiruošė miegoti. Buvo dešimta valanda vakaro. Džoana užmigo beskaitydama Skinerio knygą.

Antradienis išpuolė geresnis. Po pusryčių sutvarkiusi virtuvę ir paklojusi lovą, ji paskambino Bobei. Niekas neatsiliepė. Bobė vėl ieškojo tinkamo namo. Tuomet Džoana nuvažiavo į „Centrą“ ir apsipirko visai savaitei. Papietavusi ji vėl grįžo į „Centrą“ ir nupaveikslavo Kalėdų prakartėlę. Namo grįžo anksčiau nei pasirodė mokyklos autobusas.

Volteris suplovė indus, o *tuomet* vėl išėjo į Vyrų draugijos namus. Pasirodo, tie žaislai skirti miesto vaikams, varguomenės kvartalo pypliams ir mažiesiems ligoninių pacientams. Kas jums *dar* nepatinka, ponia Eberhart? O gal verčiau jus vadinti panele Ingols? Ponia Ingols–Eberhart?

Išmaudžiusi Pytą ir Kim, o po to suguldžiusi juos į lovas, Džoana paskambino Bobei. Kažkaip keista, kad Bobė neskambino *jai* ištisas dvi dienas.

– Klausau? – atsiliepė Bobė.

– Šitiek laiko nė žodelio.

– Kas čia?

– *Džoana.*

– Oi, labas, – tarė Bobė. – Kaip laikaisi?

– Puikiai. O tu? Balsas kažkoks niūrus.

– Ne, viskas gerai, – patikino Bobė.

– Gal šįryt nusišypsojo laimė?

– Kaip suprasti?

– Namo paieškose.

– Šįryt buvau išvažiavusi apsipirkti, – paaiškino Bobė.

– Kodėl man nepaskambinai?

– Kad išvažiavau labai anksti.

– Aš buvau apsipirkti apie dešimtą. Tikriausiai prasilenkėm.

Bobė patylėjo.

– Bobe?

– Klausau?

– Ar *tikrai* viskas gerai?

– Žinoma. Kaip tik įpusėjau laidyti.

– Tokiu metu?

– Deivui rytdienai reikalingi marškiniai.

– Aa. Klausyk, tuomet pasuk man iš ryto. Eitume kur nors pavalgyti. Nebent važiuosi apžiūrinėti namų.

– Tikrai ne, – tarė Bobė.

– Tai paskambink man, sutariam?

– Gerai, – pasakė Bobė. – Sudie, Džoana.

– Iki pasimatymo.

Ji padėjo ragelį. Iš nuostabos kurį laiką sėdėjo nejudėdama ir spoksojo į telefoną. Vis dar laikė ranką uždėjusi ant aparato. Mintis, kad Bobė ėmė ir pasikeitė (kaip Šermeina) atrodė pakankamai absurdiška, tačiau ne mažiau pribloškianti. Ne, tik ne Bobė. Neįmanoma. Tikriausiai ji kaip reikiant susikivirčijo su Deivu, štai ir viskas. Tiesiog nenorėjo apie tai kalbėti. O gal Džoana kažkaip įžeidė Bobę pati to nepastebėjusi? Matyt, leptelėjo kažką tokio sekmadienį apie Adamo viešnagę, o Bobė klaidingai suprato? Kad ne. Juodvi išsiskyrė kaip visuomet draugiškai, susilietė skruostais ir pasižadėjo pasikalbėti viena su kita. (Dabar, kai Džoana prisiminė visas smulkmenas, ji suvokė, kad Bobė jau tądien buvo kitokia: nepasakė nė vienos tų frazių, kurios paprastai liedavosi per kraštus, o be to, ir judėjo kažkaip lėtai.) Galbūt visą savaitgalį ji su Deivu pūtė žolę? Nors Bobė yra sakiusi, kad mėgino keletą kartų su Deivu parūkyti, tačiau poveikis buvęs neypatingas. Tai gal šįkart...

Džoana užrašė dar keletą kalėdinių atvirukų.

Ji paskambino Rutanai Hendri. kuri labai apsidžiaugė išgirdusi Džoanos balsą. Juodvi draugiškai pasišnekėjo. Apie *„Magą“*, kurį Rutana skaito su tokiu pat malonumu kaip ir Džoana, taip pat apie naująją knygą, kurioje Rutana toliau pasakos Penės nuotykius. Abi susitarė drauge papietauti kitą savaitę. Džoana pasikalbės su Bobe, o tuomet visa trijulė keliaus į prancūzų restoraną Ystbridže. Rutana pažadėjo paskambinti Džoanai pirmadienio rytą.

Ji vėl sėdo rašyti kalėdinių atvirukų. Po to įsitaisiusi lovoje skaitė Skinerio knygą ir sulaukė, kol sugrįžo Volteris.

– Šįvakar kalbėjausi su Bobe, – tarė Džoana. – Man ji pasirodė kažkokia... kitokia, nelyginant išsekusi.

– Tikriausiai pervargo nuo to lakstymo po apylinkes ir amžino ieškojimo, – spėjo Volteris ir sudėjo visą švarko kišenių turinį ant komodos.

– Sekmadienį ji taip pat atrodė nepanaši į save, – tęsė Džoana. – Ji net nepasakė...

– Ji buvo pasidažiusi. Makiažas, ir tiek, – ramino Volteris. – Tik susimildama nepradėk vėl sekti pasakas apie chemikalus, gerai?

Džoana susiraukė ir prispaudė užverstą knygą prie apklotų kelių.

– Ar Deivas neužsiminė apie šeimyninį žolės rūkymą? – pasiteiravo ji.

– Ne, – tarė Volteris. – Bet greičiausiai čia ir slypi atsakymas.

Jie mylėjosi. Tačiau dėl nuolatinės įtampos Džoana neįstengė atsipalaiduoti, todėl ypatingo malonumo nepatyrė.

Bobė nepaskambino. Apie pirmą valandą Džoana išvažiavo jos aplankyti. Kai ji išlipo iš šeimyninio automobilio, kurį vairavo, kaipmat išgirdo šunų lojimą. Pririšti prie laido, ištempto aukštai virš žemės, sergėtojai karaliavo už namo. Velso veislinis, pašokęs ant užpakalinių kojų, priekinėmis grabaliojo orą ir uoliai skalijo, o bandšunis, visas susivėlęs, stovėjo kaip įbestas ir amsėjo: „Au, au, au, au, au!“ Bobės mėlynas „Ševroletas“ stovėjo prie garažo.

Bobė pasitiko Džoaną nepriekaištingoje svetainėje: pagalvėlės papurentos, medžio baldai tiesiog švyti, žurnalai išdėlioti ant spindinčio staliuko prie kanapos it išskleista vėduoklė. Šeimininkė nusišypsojo ir tarė:

– Dovanok, tiek buvau užsiėmusi, kad visai pamiršau. Ar jau valgei? Einam į virtuvę. Sutepsiu tau sumuštinių. Kokių norėtum?

Ji atrodė taip pat kaip sekmadienį: graži, pasidariusi šukuoseną ir pasidažiusi. Po žaliu megztiniu ji segėjo kažkokią ypatingą, itin stangrinančią liemenėlę, ir po rudu klostuotu sijonu slėpė mažinantį klubus korsetą.

Kai juodvi atsidūrė taip pat nepriekaištingai sutvarkytoje virtuvėje, Bobė tarė:

– Taip, aš pasikeičiau. Suvokiau, kokia suskretėlė ir savimyla buvau. Anokia čia gėda tapti puikia namų tvarkytoja. Nusprendžiau dorai atlikti savo darbą. Kaip Deivas atlieka savąjį. Ir daugiau dėmesio skirti išvaizdai. Ar tikrai nenori sumuštinio?

Džoana papurtė galvą.

– *Bobe*, – tarė ji, – aš... nejau nesupranti, kas vyksta? Kad ir koks čia būtų velnias, *tu* patekai į jo pinkles! Visai kaip Šermeina!

Bobė nusišypsojo Džoanai.

– Niekur aš nepatekau, – pasakė ji. – Ir jokio velnio čia nėra. Tai buvo gryniausia nesąmonė. Stepfordas yra puiki ir tikrai nekenksminga vieta gyventi.

– Vadinasi... tu niekur nebenori kraustytis?

– Oi, ne, – patikino Bobė. – Tai irgi buvo paistalai. Čia aš visiškai laiminga. Gal bent išgersi puodelį kavos?

Ji paskambino Volteriui į kontorą.

– Oi, laba *diena*! – atsiliepė Estera. – *Kaip* malonu jus girdėti! Tikriausiai pas jus *fantastiška* diena, o gal jūs mieste?

– Ne, skambinu iš namų, – tarė ji. – Būkit maloni, norėčiau pasikalbėti su Volteriu.

– Apgailestauju, bet jis šiuo metu dalyvauja posėdyje.

– Pasakykite jam, kad tai labai svarbu.

– Tuomet luktelkit minutėlę.

Ji laukė, atsisėdusi ant rašomojo stalo, žiūrinėjo popierius ir vokus, kuriuos ištraukė iš viduriniojo stalčiaus, dirsčiojo į kalendorių (*Gruodžio 14, antradienis*) ir į Aiko Mazardo piešinį.

– Ponia Eberhart, jis tuoj, – tarė Estera. – Tikiuosi, Piteriui ir Kim nieko nenutiko.

– Ne, vaikai jaučiasi puikiai.

– Tai gerai. Tikriausiai jiems prasidėjo...

– Klausau? – pasigirdo ragelyje Volterio balsas.

– Volteri?

– Klausau. Kas nutiko?

– Volteri, noriu kad išklausytum mane ir nesiginčytum, – pasakė Džoana. – Bobė *tikrai* pasikeitė. Aš buvau pas ją nuvažiavusi. Namai atrodo tarsi... Volteri, ten nerasi *nė dulkelės*. Jie *nepriekaištingi*! Jos pačios išvaizda verčianti iš koto... Klausyk, ar tu paėmei banko knygeles? Visur jų ieškojau, bet neradau. Volteri?

– Taip, jos pas mane, – tarė jis. – Deivo patartas pirkau šiek tiek akcijų. O kam tau tos knygelės?

– Norėjau pažiūrėti, kiek turime pinigų, – pasakė ji. – Ystbridže mačiau namą, kuris...

– Džoana.

– ...truputį mažesni už mūsiškį, tačiau...

– Džoana, paklausyk manęs.

– Aš nepasiliksiu čia daugiau nė vienos...

– Velniai griebtų, paklausyk manęs!

Ji suspaudė telefono ragelį.

– Gerai, kalbėk, – ramiai pareiškė ji.

– Pasistengsiu grįžti namo anksčiau, – tarė jis. – Tik nieko nedaryk, kol sugrįšiu. Ar girdi? Neprisiimk jokių įsipareigojimų ar dar ko. Manau, kad ištrūksiu po kokio pusvalandžio.

– Aš nepasiliksiu čia daugiau nė vienos dienos.

– Tik palauk, kol parvažiuosiu, gerai? – vėl paprašė jis. – Negalime kalbėtis apie tokius dalykus telefonu.

– Parvežk banko knygeles, – ištarė ji.

– Tik nieko nedaryk, kol sugrįšiu.

Ragelyje kažkas trakštelėjo ir ryšys nutrūko.

Ji padėjo ragelį.

Sudėjusi visus popierius ir vokus į vidurinįjį stalčių, Džoana pasiėmė iš lentynos telefonų knygą ir ėmė ieškoti panelės Kirgasos numerio Ystbridže.

Paaiškėjo, kad namas, apie kurį ji galvojo, vis dar parduodamas.

– Tiesą sakant, jis netgi šiek tiek atpigo nuo tada, kai matėt jį paskutinįkart.

– Noriu paprašyti paslaugos, – tarė Džoana. – Ko gero, tas namas mus domintų. Tiksliai žinosiu rytoj. Ar negalėtumėt sužinoti žemiausią įmanomą skubaus pardavimo kainą ir nedelsiant pranešti man?

– Susisieksiu su jumis kaip įmanoma greičiau, – užtikrino panelė Kirgasa. – Tiesa, gal žinote, ar ponia Markovė ką nors surado? Turėjome šįryt susitikti, bet ji taip ir nepasirodė.

– Ji persigalvojo ir nesikraustys, – paaiškino Džoana. – Bet aš tikrai kraustausi.

Ji paskambino Bakui Reimondui, agentui, kurio paslaugomis naudojosi Stepforde.

– Tarkim, rytoj sumanytume parduoti savo namą, – tarė ji. – Kaip manot, ar greitai atsirastų pirkėjas?

– Ir netgi labai greitai, – patikino Bakas. – Didelė paklausa. Garantuoju, kad gautumėte tiek pat, kiek mokėjote. Gal netgi truputį daugiau. Ar jūs nelaiminga tame name?

– Nelaiminga, – atsakė ji.

– Labai gaila, kad viskas šitaip. Ar galiu imtis namo pardavimo? Kaip tik turiu porelę, kuri...

– Ne, ne, dar ne dabar, – pasakė Džoana. – Aš pasakysiu rytoj.

– Dabar šiek tiek nurimk, – tarė Volteris. Jis ištiesė rankas ir sumostagavo ramindamas Džoaną.

– Ne, – pareiškė ji ir papurtė galvą. – Ir dar kartą ne. Aš nežinau, kas čia vyksta, tačiau viskas prasideda po keturių mėnesių. Vadinasi, man dar liko vienas mėnuo. Galbūt mažiau. Mes įsikraustėme rugsėjo ketvirtąją.

– Dėl Dievo meilės, Džoana...

– Šermeina atsikraustė čionai liepą, – tęsė ji. – Ji pasikeitė lapkričio mėnesį. Bobė apsigyveno rugpjūtį, o dabar gruodis.

Ji nusisuko ir paėjo tolėliau nuo Volterio. Kriauklės čiaupas praleido vandenį. Ji iš visų jėgų užsuko rankenėlę ir varvėti liovėsi.

– Juk tu *gavai* laišką iš Sveikatos departamento, – pasakė Volteris.

– Šūdas tas laiškas, kaip pasakė Bobė, – ji atsigręžo ir pažvelgė į jį. – Čia tikrai *kažkas* yra. *Turi* būti. Eik ir pats pasižiūrėk. Gal būtum toks malonus? Jos krūtinė išsišovusi į priekį kaip kažin kas, o užpakalis tiek suspaustas, kad nieko nebeliko! Namai primena reklaminį filmuką. Lygiai kaip Kerolės ir Donos, ir Kitės Sandersen!

– Ji turėjo anksčiau ar vėliau juos iškuopti. Ten buvo tikra kiaulidė.

– Volteri, Bobė *pasikeitė*! Ji *kalba* ne taip kaip anksčiau ir net *galvoja* ne taip. Aš neketinu laukti, kol kažkas panašaus nutiks ir man!

– Mes niekur...

Iš kiemo atėjo Kim. Jos įraudusį veidą rėmino kailiu apsiūti gobtuvo kraštai.

– Pabūk lauke, Kim, – tarė Volteris.

– Mums reikia maisto atsargų, – pasakė Kim. – Einame į žygį.

Džoana atidarė puodynę ir ištraukė gerą saują sausainių.

– Štai, – pasakė ji, dėdama sausainius į atkištas, kumštinėmis pirštinėmis apmautas mergaitės rankas. – Tik nenueikit toli nuo namų. Jau temsta.

– O gal yra „Oreo" sausainiukų?

– Ne, „Oreo" sausainiukų *neturime*. Keliauk.

Kim išėjo į lauką. Volteris uždarė duris.

Džoana nusibraukė nuo rankų trupinius.

– Tas namas gražesnis už šį, – tarė ji. – Be to, galėtume jį nusipirkti už penkiasdešimt tris su puse tūkstančio. O tiek tikrai gautume pardavę šitą. Bakas Reimondas taip sakė.

– Mes niekur nesikraustysime, – nukirto Volteris.

– Juk *sakei*, kad kraustysimės!

– Ateinančią vasarą, bet ne...

– Ateinančią vasarą čia jau būsiu ne *aš*.

– Džoana...

– Nejau nesupranti? Sausį *man* nutiks lygiai tas pat!

– *Nieko* tau nenutiks!

– Šitaip aš sakiau ir Bobei! Dar šaipiausi, kad geria vandenį iš butelių!

Jis prisiartino prie Džoanos.

– Nieko nėra nei vandenyje, nei ore, – tarė Volteris. – Jos pasikeitė dėl priežasčių, kurias tau minėjo: dėl to, kad suvokė buvusios tinginės ir apsileidėlės. Jeigu Bobė pradėjo rūpintis savo išvaizda, tai ir puiku. Jau pats metas. Beje, tau irgi nepakenktų retkarčiais žvilgtelėti į veidrodį.

Džoana pažvelgė į jį. Volteris, staiga išraudęs, nusuko akis į šalį, o po to vėl sužiuro į ją.

– Aš rimtai, – tęsė ji. – Esi labai graži moteris, tačiau nė velnio nebesirūpini savo išvaizda. Nebent eitum į kokį vakarėlį ar dar kur.

Jis nusigręžo nuo Džoanos, o tada nuėjo ir atsistojo prie viryklės. Ten stovėdamas ėmė sukioti rankenėlę pirmyn ir atgal.

Džoana dėbtelėjo į jį.

Volteris tarė:

– Žinai, ką mudu padarykim...

– Ar *nori*, kad aš pasikeisčiau? – ramiai paklausė Džoana.

– Aišku, kad nenoriu. Nekvailiok.

Ji apsisuko.

– Tai *štai* ko tau reikia? – nepatikėjo Džoana. – Gražutės, išsičiustijusios namų šeimininkės?

– Aš tik norėjau pasakyti...

– Ar *todėl* norėjai kraustytis tik į Stepfordą? Ar tau buvo pranešę, kas čia dedasi? „Voli, senas kriene, vežk ją į Stepfordą, ten oras kažkoks keistas, pamatysi, ji pasikeis per keturis mėnesius“.

– Oras čia kaip oras, – tarė Volteris. – Aš tik žinojau, kad Stepforde geros mokyklos ir maži mokesčiai. Dabar paklausyk. Pasistengsiu į viską pažvelgti tavo akimis, kad įstengčiau teisingai nuspręsti. Tu nori išsikraustyti, nes baiminiesi, kad „pasikeisi“. Tuo tarpu aš manau, kad tavo elgesys visiškai neprotingas, netgi... šiek tiek isteriškas, o, be to, kraustymasis dabar visiems mums sukeltų bereikalingų vargų. Ypač Pytui ir Kim.

Ji stabtelėjo ir atsikvėpė.

– Gerai, padarykime taip, – tęsė ji. – Tu pasikalbėsi su Alanu Holingsvortu. Jeigu jis patvirtins, kad tu...

– Su kuo tokiu?

– Alanu Holingsvortu, – pakartojo Volteris ir nusuko akis. – Su tuo psichiatru. Juk žinai. – Jis vėl pažvelgė į Džoaną. – Jeigu jis patvirtins, kad tu tikrai ne...

– Nereikia man jokio psichiatro, – pasakė ji. – Jeigu ir reiktų, aš neičiau pas Alaną Holingsvortą. Mačiau jo žmoną Tėvų ir mokytojų asociacijos susirinkime. Ji viena *tų*. Todėl, be jokios abejonės, jis pripažintų mane nevisprote.

– Tai išsirink kurį nors kitą, – pasiūlė jis. – Tą, pas kurį eitum. Jeigu tavęs tikrai neapsėdo... jokia manija ar dar kas, tuomet išsikraustysime nedelsdami. Rytoj apžiūrėsiu tą namą ir netgi paliksiu už jį rankpinigių.

– Nereikia man jokio psichiatro, – pakartojo ji. – Man reikia kuo skubiau išsinešdinti iš *Stepfordo*.

– Džoana, būk gera, liaukis, – tarė jis. – Manau, aš elgiuosi velniškai sąžiningai. Tu reikalauji iš mūsų stačia galva nerti į milžiniškų permainų sūkurį, todėl privalai mus, o *ypač* save, užtikrinti, kad viską suvoki taip aiškiai, kaip kad tau atrodo.

Ji pažvelgė jam į akis.

– Tai kaip? – tarė jis.

Ji neištarė nė žodžio. Tik žiūrėjo į jį.

– Nagi? – vėl prabilo Volteris. – Ar tai nebūtų protingiausia išeitis?

Džoana pasakė:

– Bobė pasikeitė, kai liko viena su Deivu, o Šermeina – su Edu.

Jis nusuko akis ir papurtė galvą.

– Ar man irgi šitai nutiks būtent *tada*? – paklausė ji. – *Mudviejų* savaitgalį?

– Juk *pati sumanei* tą savaitgalį, – tarė jis.

– Ar būtum *tu* pasiūlęs, jeigu ne *aš*?

– Dabar *matai*? – pasakė Volteris. – Ar girdi, ką tu šneki? Gerai pagalvok apie tai, ką sakiau. Nevalia šitaip neapgalvotai ardyti mūsų visų gyvenimus. Ir būtų kvaila manyti, jog mes sutiksime.

Jis apsisuko ir išėjo iš virtuvės.

Ji liko stovėti ten pat. Pridėjo ranką sau prie kaktos ir užsimerkė. Kurį laiką taip ir stovėjo. Po to nuleido ranką, atsimerkė ir papurtė galvą. Priėjo prie šaldytuvo, atidarė jį ir išsiėmė uždengtą dubenį ir prekyvietėje pirktą mėsą.

Jis sėdėjo prie rašomojo stalo ir rašė kažką į geltoną bloknoto lapą. Nuo peleninėje smilkstančios cigaretės kilo dūmų kamuoliai ir sklaidėsi lempos šviesoje. Jis pažvelgė į ją ir nusiėmė akinius.

– Sutinku, – tarė ji. – Aš... su kuo nors pasikalbėsiu. Bet tik su moterimi.

– Gerai, – nudžiugo jis. – Puiki mintis.

– O tu rytoj įneši rankpinigius už namą?

– Taip, – patikino jis. – Nebent tame name bus kažin kas iš esmės blogai.

– Nebus, – pasakė ji. – Namas geras ir tik šešerių metų. Puikios draudimo sąlygos.

– Puiku, – tarė jis.

Džoana stovėjo ir žiūrėjo į jį.

– Ar *tikrai* nori, kad pasikeisčiau? – pasiteiravo ji.

– Ne, – atsakė jis. – Tik noriu, kad retkarčiais pasidažytum lūpas. Anoks čia pasikeitimas. Aš ir *pats* norėčiau šiek tiek pasikeisti. Pavyzdžiui, numesti keletą kilogramų.

Ji kaipmat nubraukė plaukus link pakaušio ir tarė:

– Einu truputį padirbėti apačioje. Būsiu tamsiajame. Pytas dar nemiega. Ar užmesi akį?

– Žinoma, – tarė jis ir nusišypsojo.

Džoana pažiūrėjo į jį, pasisuko ir nuėjo.

Galiausiai ji vėl paskambino į Sveikatos departamentą, kurio tarnautojai patarė jai kreiptis į medicinos draugijos narius. *Šie* savo ruožtu pateikė jai penkių gydytojų psichiatrių pavardes ir telefonų numerius. Dvi iš jų dirbančios arčiausiai, tai yra Ystbridže, nebeturėjo laisvų vietų iki pat sausio vidurio. Tačiau trečioji, priiminėjanti ligonius Šefilde, esančiame į šiaurę nuo Norvudo, paskyrė jai susitikimą šeštadienį antrą popiet. Daktarė Margarita Fenčer. Telefono ragelyje jos balsas skambėjo itin maloniai.

Ji užrašė visus Kalėdų atvirukus ir baigė siūti Pyto kostiumą. Nupirko žaislų ir knygučių Pytui su Kim, o Bobei ir Deivui – butelį šampano. Didmiestyje išrinko Volteriui auksinę diržo sagtį, o po to ketino aplakstyti antikvarines parduotuves Devintojoje gatvėje ir paieškoti senųjų teisinių dokumentų. Tačiau galų gale nupirko jam gelsvai rudos spalvos megztinį.

Atkeliavo pirmieji Kalėdų atvirukai su sveikinimais: nuo Džoanos tėvų ir nuo Volterio bendradarbių, pavaldinių, nuo Makormikų, Čamalianų ir Van Santų. Ji sustatė atvirukus svetainėje ant knygų lentynos.

Agentūra atsiuntė čekį: šimtą dvidešimt penkis dolerius.

Penktadienio popietę snyguriavo. Tačiau, nepaisydama penkių centimetrų sniego sluoksnio gatvėse, Džoana susisodino Pytą su Kim į automobilį ir išvažiavo pas Bobę.

Bobė pasitiko juos maloniai. Tuo tarpu Adamas, Kenis ir šunys – triukšmingai. Bobė išvirė karšto šokolado, o Džoana nunešė padėklą į bendrąjį kambarį.

– Atsargiai, nepaslysk, – perspėjo Bobė. – Šįryt vaškavau grindis.

– Pastebėjau, – tarė Džoana.

Ji sėdėjo virtuvėje ir žiūrėjo į Bobę. Gražią, dailiai sudėtą Bobę, kuri šveitė viryklę, pasistvėrusi popierinį rankšluostį ir purškiamą valiklį.

– Ką tu sau *padarei*, velniai griebtų? – pasidomėjo Džoana.

– Tiesiog nevalgau tiek, kiek anksčiau, – paaiškino Bobė. – Ir daugiau sportuoju.

– Tu numetei kokius penkis kilus!

– Ne, tik porą. Dėviu korsetą.

– Bobe, *būk gera*, papasakok man, kas *nutiko* praėjusį savaitgalį?

– Nieko nenutiko. Mes visąlaik buvome namuose.

– Gal jūs ką nors rūkėte ar vartojote? Turiu galvoje kvaišalus.

– Ne, nekvailiok.

– Bobe, čia jau nebe *tu*! Nejau nepastebi? Tapai tokia, kaip kitos!

– Garbės žodis, Džoana, šneki nesąmones, – tarė Bobė. – Aišku, kad čia aš. Paprasčiausiai suvokiau, kokia siaubinga suskretėlė ir savimyla buvau. Todėl dabar dorai atlieku savo darbą. Kaip Deivas atlieka savąjį.

– Žinau, žinau, – tarstelėjo Džoana. – O ką *jis* mano apie tai?

– Jis labai laimingas.

– Neabejoju.

– Šitas valiklis išties puikiai valo. Ar naudoji jį?

„Aš ne pamišėlė, – pagalvojo Džoana. – *Aš ne pamišėlė."*

Lauke, priešais kaimynų namą, Džonis drauge su kitais dviem berniukais lipdė senį besmegenį. Palikusi Pytą su Kim mašinoje, Džoana priėjo artyn ir pasilabino su Džoniu.

– O, laba diena! – nudžiugo Bobės sūnus. – Gal atnešėte man pinigų už nuotrauką?

– Kol kas ne, – pasakė Džoana. Snaigės krito tiesiai jai į veidą. – Džoni, aš... aš niekaip negaliu atsikvošėti: tavo mama visiškai pasikeitė.

– Tai jau tikrai, – linktelėjo jis šnopuodamas.

– Aš nieko nesuprantu, – prisipažino Džoana.

– Aš irgi, – tarė jis. – Ji daugiau neberėkia, kasdien gamina karštus pusryčius...

Berniukas pažvelgė į namą ir suraukė kaktą. Snaigės kibo prie jo veido.

– Tikiuosi, kad taip bus ir toliau, – pasakė jis. – Bet esu tikras, kad neilgai.

Daktarė Fenčer buvo smulkutė, vaikiško veido smailianosė moteriškė, įkopusi į šeštą dešimtį. Jos galvą puošė trumputės žilstančių rudų plaukų garbanos, o veide žaidė besišypsančios melsvai pilkos akys. Ji vilkėjo tamsiai mėlyną suknelę, segėjo auksinę sagę su kinišku moteriškojo ir vyriškojo pradų simboliu ir mūvėjo sutuoktuvių žiedą. Jos kabinetas atrodė linksmas ir šviesus, apstatytas Čipendeilo* baldais, nukabinėtas Paulio Klė** reprodukcijomis ir dryžuotomis užuo-

---

* *Thomas Chippendale (1718–1779)*– garsus britų baldų kūrėjas, Čipendeilo stiliaus pradininkas. Jo baldams būdinga drožyba bei gotikos, prancūzų ir kinų puošybos elementai.

** *Paul Klee (1879–1940)* – šveicarų dailininkas ekspresionistas.

laidomis, kurios bemaž persišvietė nuo iš lauko sklindančios saulės ir sniego šviesos. Kabinete stovėjo rudos odos kanapa su aptrauktu popieriumi atlošu galvai. Tačiau Džoana atsisėdo į krėslą priešais rašomąjį raudonmedžio stalą. Ant jo gulėjo registracijos knyga, iš kurios puslapių kyšojo daugybė baltų popierėlių – žymeklių.

Džoana tarė:

– Atėjau čia savo vyro patarta. Į Stepfordą atsikraustėme rugsėjo pradžioje, o dabar aš noriu kuo greičiau iš ten išsikraustyti. Už namą, kurį nusižiūrėjome Ystbridže, jau sumokėjome rankpinigius. Bet tik todėl, kad aš primygtinai prašiau. Jis įsitikinęs, kad aš... elgiuosi neprotingai.

Ji papasakojo daktarei Fenčer, kodėl norinti išsikraustyti: apie Stepfordo moteris, apie tai, kaip pasikeitė Šermeina ir Bobė ir tapo kitokios.

– Ar lankėtės kada Stepforde? – staiga pasidomėjo Džoana.

– Tik sykį, – atsakė daktarė Fenčer. – Mat buvau girdėjusi, kad verta ten apsilankyti. Taip ir yra. Tačiau taip pat girdėjau, kad miestelio bendruomenė itin uždara ir antivisuomeninė.

– Patikėkit manim, taip ir yra.

Daktarė Fenčer buvo girdėjusi apie tą miestą Teksase, kur itin žemas nusikalstamumo lygis,

– Jei gerai pamenu, tai dėl visko kaltas litis, – tarė ji. – Skaičiau straipsnį viename žurnale.

– Mudvi su Bobe parašėme laišką į Sveikatos departamentą, – pasakojo toliau Džoana. – Mus patikino, kad Stepforde nėra jokių medžiagų, galinčių kaip nors paveikti gyventojus. Neabejoju, kad mus palaikė senomis kvaišomis. Tiesą pasakius, tuomet aš maniau, kad būtent *Bobė* pernelyg nerimauja. Pagelbėjau jai parašyti tą laišką tik todėl, kad paprašė...

Ji pažvelgė į savo sunertas rankas ir sudėjo jas vieną priešais kitą.

Daktarė Fenčer tylėjo.

– Ėmiau įtarti... – tęsė Džoana, – Jėzau, tas žodis „įtarti“ skamba kažkaip...

Žiūrėdama į savo rankas, ji vėl jas sunėrė.

Daktarė Fenčer prabilo:

– Ką ėmėte įtarti?

Džoana atskyrė abi rankas ir nubraukė jas į sijoną.

– Ėmiau įtarti, kad už viso to slypi vyrai, – pasakė ji ir pažvelgė į daktarę Fenčer.

Toji nei nusišypsojo, nei nustebo. Tik paklausė:

– Kokie vyrai?

Džoana vėl sužiuro į savo rankas.

– Mano vyras, – tarė ji. – Bobės vyras. Šermeinos.

Ji vėl pakėlė akis į daktarę Fenčer.

– Visi, – užbaigė Džoana.

Ji papasakojo psichiatrei apie Vyrų draugiją.

– Prieš keletą mėnesių vieną naktį fotografavau „Centre“, – kalbėjo Džoana. – Ten, kur stovi visos kolonijinio stiliaus parduotuvės. Draugijos namai kaip tik priešais. Tąkart langai buvo atdari. Pro juos skverbėsi kažkoks... keistas kvapas. Lyg vaistų ar chemikalų. Po to langus užtamsino. Tikriausiai todėl, kad sužinojo, jog esu netoliese. Mane matė policininkas. Jis sustabdė automobilį ir šnektelėjo su manimi.

Džoana palinko į priekį.

– Devintojoje gatvėje stūkso daugybė modernių pramonės gamyklų, – tarė ji. – Daugybė aukštas pareigas jose užimančių vyrų gyvena Stepforde ir priklauso Vyrų draugijai. *Kažkas* dedasi kiekvieną naktį. Ir nemanau, kad jie ten rūšiuoja žaisliukus skurstantiems vaikams, žaidžia biliardą ar pokerį. Kalbu apie „AmeriChem–Willis“ ir „Stevenson Biochemical“ gamyklas. Tikrausiai ten, Vyrų draugijos namuose, kažką gamina. O Sveikatos departamentas net nenutuokia...

Ji atsilošė krėsle ir vėl, nežiūrėdama į daktarę Fenčer, nubraukė rankas į sijono aptemptas šlaunis.

Daktarė Fenčer paklausinėjo Džoanos apie jos šeimą ir domėjimąsi fotografija. Po to – apie darbus, kuriuos ji dirbo, apie Volterį, Pytą ir Kim.

– Bet koks kraustymasis sukelia tam tikro pobūdžio traumą, – pasakė daktarė Fenčer. – O ypač moteriai, kuri persikrausto iš didmiesčio į priemiestį ir kuriai namų šeimininkės vaidmuo neteikia jokio džiaugsmo. Apima jausmas lyg būtum išsiųsta į Sibirą.

Ji nusišypsojo Džoanai.

– Šventinis laikotarpis irgi ne itin gelbsti, – tęsė ji. – Jis tik dar labiau išpučia visas bėdas. Tas nutinka kiekvienam. Dažnai pagalvodavau, jog reiktų pasidaryti *tikrą* šventę ir pabėgti nuo to šurmulio.

Džoana išspaudė šypseną.

Daktarė Fenčer palinko į priekį ir, sunėrusi rankas, alkūnėmis pasirėmė į stalą.

– Suprantu, kodėl jaučiatės nelaiminga miestelyje, kur visoms moterims rūpi tik namų ruoša, – pasakė ji. – *Man* šitai irgi nepatiktų. Kaip ir kitoms moterims, kurioms rūpi išorinis pasaulis. Tačiau aš abejoju, kaip, mano manymu, ir jūsų vyras, ar šiuo metu tikrai būsite laiminga Ystbridže ar kur kitur.

– O aš manau, kad būsiu, – tarė Džoana.

Daktarė Fenčer pažvelgė į savo rankas. Viena ranka ji spaudė ir lenkė kitą, ant kurios mūvėjo vestuvių žiedą. Tada ji pažiūrėjo į Džoaną.

– Miesteliai tik palaipsniui įgauna jiems būdingų ypatybių, – tarė ji, – nes žmonės renkasi ilgai ir nuobodžiai. Prieš daug metų į Šefildą atsikraustė keletas menininkų ir rašytojų. Jiems įkandin atsekė kiti. O tie, kuriems jų gyvenimo būdas pasirodė pernelyg bohemiškas, išsikraustė kitur. Dabar čia menininkų ir rašytojų miestelis. Žinoma, neišskirtinai, tačiau to pakanka, kad būtume nepanašūs į Norvudo ar Kimbolo gyventojus. Aš tikra, kad Stepfordo ypatybės atsirado kaip tik taip. Ši mintis man žymiai priimtinesnė, nei prielaida apie vyrų, nusprendusių chemikalais praplauti smegenis savo moteriškėms, sąmokslas. Ar jie įstengtų? Taip, jie sugebėtų jas pripumpuoti raminamųjų. Tačiau manding tos moterys kaip tik labai gyvybingos. Jos sunkiai ir stropiai dirba. Nesvarbu, kad vien tame pasaulėlyje, kuris joms atrodo svarbus. Šitaip paveikti žmogų būtų nelengva užduotis ir patiems pažangiausiems chemikams.

Džoana tarė:

– Žinau, kad tai skamba...

Ji patrynė smilkinį.

– Tai skamba, – tarė daktarė Fenčer, – kaip mintis, išsakyta moters, kuri, kaip dauguma šiuolaikinių moterų, visai pagrįstai jaučia apmaudą ir yra įtari vyrų atžvilgiu. Moters, kurią drasko du vienas kitam prieštaraujantys poreikiai. Galbūt labiau, nei ji tą suvokia. Vienoje pusėje – įprastos elgesio normos, o kitoje – *nauji* išsilaisvinusios moters įpročiai.

Džoana papurtė galvą ir tarė:

– Jeigu tik jūs pamatytumėt, *kokios* tos Stepfordo moterys. Jos tarsi aktorės iš televizijos reklamų. Visos kaip viena. Ne, netgi ne *tai* svarbiausia. Jos tarsi... tarsi...

Ji palinko į priekį.

– Prieš keturias ar penkias savaites per televiziją rodė tokią laidą, – tęsė ji. – Mano vaikai ją žiūrėjo. Ten buvo visų prezidentų figūros. Jos judėjo, nuolat nutaisydavo skirtingas veido išraiškas. Abraomas Linkolnas atsistojo ir pasakė Getisbergo kalbą*. Jis atrodė tiek panašus į gyvą žmogų, kad būtumėt...

Ji staiga nutilo.

Daktarė Fenčer palaukė ir linktelėjo galva.

– Žinot, vietoj to, kad verstumėte šeimą kuo greičiau išsikraustyti, – tarė ji, – verčiau pamąsty...

– Disneilendas, – pagaliau prisiminė Džoana. – Toji laida buvo iš *Disneilendo*...

Daktarė Fenčer nusišypsojo.

– Žinau, pasakė ji. – Mano anūkai apsilankė jame praėjusią vasarą. Ir sakė, kad ten neva tai sutiko Linkolną.

Džoana nusisuko nuo jos, spoksodama kažkur į tuštumą.

– Aš manau, jums derėtų pamąstyti apie psichoterapijos seansus, – pasakė daktarė Fenčer. – Kad susivoktumėte savo jausmų suirutėje. Tuomet įstengsite žengti *teisingą* žingsnį. Galbūt persikraustysite į Ystbridžą, o gal sugrįšite į didmiestį. Žiū ir Stepfordas nebeatrodys toks slogus.

Džoana vėl pažvelgė į ją.

– Pagalvokite apie tai bent porą dienų, o tada paskambinkite man, gerai? – pasiūlė daktarė Fenčer. – Neabejotinai galiu jums padėti. Kelios tyrinėjimų valandos tikrai to vertos, argi ne taip?

Džoana sėdėjo nejudėdama, tačiau pritariamai linktelėjo galva.

Daktarė Fenčer ištraukė iš laikiklio parkerį ir ėmė kažką rašyti receptų knygelėje.

---

* Kalba, kurią JAV prezidentas A. Linkolnas pasakė 1863 m. lapkričio 19 d. nacionalinių kapinių *Getisberge* (Pensilvanijos valstijoje) atidarymo proga. Netoli tos vietos Konfederatų kariuomenė patyrė pralaimėjimą Pilietiniame kare.

Džoana dar kartą dėbtelėjo į ją. Ji atsistojo ir pasiėmė nuo rašomojo stalo savo rankinę.

– O kol kas jums pagelbės šie vaistai, – tarė psichiatrė vis dar rašydama. – Nestiprūs raminamieji. Gerkite po tris tabletes per dieną.

Ji išplėšė lapelį ir šypsodama ištiesė jį Džoanai.

– Nesigąsdinkit, nuo jų tikrai *nekils* potraukis namų ruošai, – nuramino ji.

Džoana paėmė lapelį.

Daktarė Fenčer atsistojo.

– Kalėdų savaitę būsiu išvykusi, – tarė ji, – bet nuo sausio trečios dienos galėtume pradėti gydymo savaitę. Paskambinkite man pirmadienį arba antradienį ir pasakykite, ką nusprendėte, gerai?

Džoana linktelėjo.

Daktarė Fenčer nusišypsojo.

– Patikėkit, *nieko* baisaus čia nėra, – pasakė ji. – Aš tikrai sugebėsiu jums padėti. Rimtai.

Ji ištiesė ranką.

Džoana ją paspaudė ir išėjo.

Bibliotekoje virė darbas. Panelė Austrė pareiškė, kad jie sukrauti apačioje, rūsy. Pirmos durys kairėje, apatinė lentyna. Sudėti atgal pagal eiliškumą. Rūkyti draudžiama. Išjungti šviesą.

Džoana leidosi žemyn stačiais siaurais laiptais. Viena ranka ji lietė sieną. Turėklų nė kvapo.

Durys kairėje. Šviesos jungiklį ji surado viduje. Akis žilpinanti dienos šviesos lempa, seno popieriaus kvapas, ausį rėžiantis kažkokio variklio zvimbimas.

Kambariukas pasirodė esąs nedidelis ir žemų lubų. Bibliotekos staliuką ir keturias geltonos ir raudonos spalvos virtuvines kėdes iš visų pusių supo lentynos, prikrautos žurnalų ir laikraščių.

Didžiuliai, rudai įrišti komplektai, suguldyti vienas ant kito, kyšojo nuo pat apatinių lentynų iki viršaus.

Pasidėjus rankinę ant stalo, Džoana nusivilko paltą ir užmetė jį ant vienos iš kėdžių.

Ji pradėjo vartyti penkerių metų senumo leidinius. Komplektas apėmė maždaug pusmečio laikotarpį.

„SUSIJUNGS PILIEČIŲ IR VYRŲ DRAUGIJOS. Pasiūlytoji sąjunga tarp Stepfordo piliečių draugijos ir Stepfordo vyrų draugijos sulaukė abiejų organizacijų narių pritarimo ir įvyks per artimiausias keletą savaičių. Tomas K. Mileris Trečiasis ir Deilas Koba, šių draugijų pirmininkai...“

Ji pervertė atgal dar keletą puslapių, kuriuose knibždėjo naujienos apie mažosios beisbolo lygos varžybas, milžiniškus iškritusio sniego kiekius, vagystes, traukinių susidūrimus ir mokyklos reikalus.

„MOTERŲ KLUBAS NUTRAUKIA SUSIRINKIMUS. Stepfordo moterų klubas dėl mažėjančio narių skaičiaus nerengs kas dvi savaites vykstančių susirinkimų. Šią žinią patvirtino ponia Okri, kuri tik prieš du mėnesius perėme klubo prezidentės postą, kai atsistatydino tuometinė prezidentė ponia Holingsvort. „Tai tik laikinas veiklos sustabdymas“, – teigė ponia Okri savo namuose, Lapės olos gatvėje. – Ketiname vėl skelbti naujų narių priėmimą ir pavasario pradžioje atnaujinti susirinkimus...“

Nejaugi, ponia Okri?

Džoana pervertė dar keletą puslapių su senų filmų ir pigių maisto produktų reklamomis, su pasakojimais apie gaisrą metodistų bažnyčioje ir šiukšlių deginimo gamyklos atidarymą.

„VYRŲ DRAUGIJA ĮSIGIJO TERHUNO TIPO NAMĄ. Deilas Koba, Stepfordo vyrų draugijos pirmininkas...“

Planavimo įstatymo pakeitimai, įsilaužimas ir vagystė „CompuTech“ gamykloje.

Ji pasiėmė dar vieną komplektą ir pasidėjo jį ant ką tik peržiūrėto. Atsivertė nuo galo ir ėmė sklaidyti puslapius.

„MOTERŲ BALSUOTOJŲ LYGA GALI UŽSIDARYTI“.

Ir kas čia tokio nuostabaus?

„Stepfordo moterų balsuotojų lyga bus priversta nutraukti savo veiklą, jeigu artimiausiu metu nesiliaus jos narių gretų retėjimas. Taip pareiškė naujoji lygos prezidentė ponia Van Sant iš Giedrojo žvilgsnio gatvės...“

Kerolė?

Atgal, atgal.

Sausra baigėsi, sausra įsisiautėjo.

„VYRŲ DRAUGIJA VĖL IŠRINKO KOBĄ. Deilas Koba iš Priekalo plento, audringai pritariant susirinkusiems, antrą kartą buvo išrinktas dvejiems metams į nuolatos besiplečiančios organizacijos pirmininko postą...“

Vadinasi, dar prieš dvejus metus.

Ji praleido tris komplektus.

Vagystė, gaisras, labdaros mugė, sniegas.

Viena ranka ji prilaikė puslapius, o kita paskubomis juos vertė. Greičiau, greičiau.

„ĮKURTA VYRŲ DRAUGIJA. Tuzinas vyrų, suremontavusių nenaudojamą ūkinį pastatą Šveicarų gatvėje ir besirenkančių jame daugiau nei metus, įkūrė Stepfordo vyrų draugiją ir laukia naujų narių. Deilas Koba iš Priekalo plento išrinktas draugijos pirmininku, Dveinas T. Andersonas iš

Šveicarų gatvės tapo pirmininko pavaduotoju, o Robertas Samneris jaunesnysis iš Gvendolinos gatvės paskirtas sekretoriumi-iždininku. Ponas Koba teigia, kad draugijos paskirtis yra „grynai visuomeninė: pokeris, vyriški pokalbiai, ir dalijimasis informacija apie įgūdžius ir pomėgius". Atrodo, jog Kobos šeima itin užsidegusi kuo greičiau pradėti šią veiklą. Ponia Koba buvo viena iš Stepfordo moterų klubo įkūrėjų, nors šiuo metu nedalyvauja jo veikloje. Lygiai kaip ponia Anderson ir ponia Samner. Kitų Vyrų draugijos narių sąrašas yra toks: Klodas Akselmas, Piteris Dž. Duvickis, Frenkas Feretis, Stivenas Margolis, Aikas Mazardas, Frenkas Rodenberis, Džeimsas Dž. Skofildas, Herbertas Sandersenas ir Martinas I. Vaineris. Vyrai, norintys gauti daugiau informacijos apie..."

Ji praleido dar porą komplektų ir dabar vartė numerių rinkinius, kurių kiekvieno antrame puslapyje atrado skyrelį „Pastabos apie naujakurius".

„...Ponas Feretis dirba korporacijos „CompuTech" gamyklos sistemų plėtros laboratorijoje inžinieriumi."

„...Ponas Samneris, kuris yra užpatentavęs daugybę dažomųjų medžiagų ir plastiko gaminių, neseniai pradėjo dirbti korporacijoje „AmeriChem–Willis". Čia jis tyrinėja vinilo polimerus."

„Pastabos apie naujakurius", „Pastabos apie naujakurius". Ji liaudavosi versti puslapius tik suradusi pažįstamą pavardę. Tuomet perskaitydavo straipsnelį ir imdavo sau mintyse kartoti, kad tikrai neklydo, buvo teisi.

„...Ponas Duvickis, kurį artimi bičiuliai vadina Viku, dirba korporacijos „Instatron" mikroschemų skyriuje."

„...Ponas Vaineris dirba korporacijos „Instatron" padalinyje „Sono–Trak".

„...Ponas Margolis dirba korporacijoje „Reed & Saunders“, gaminančioje įvairius stabilizatorius. Nauja įmonės gamykla jau kitą savaitę pradės veikti Devintojoje gatvėje.

Ji padėjo komplektą atgal į vietą. Tuomet išsitraukė dar keletą ir vargais negalais nusviedė juos ant stalo.

„...Ponas Rodenberis yra korporacijos „CompuTech“ sistemų plėtros laboratorijos vedėjo pavaduotojas.“

„...Ponas Sandersenas kuria optinius daviklius korporacijai „Ulitz Optics“.“

Pagaliau ji surado, ko ieškojusi.

Perskaitė visą straipsnį.

„Neseniai Priekalo plente apsigyveno dar viena naujakurių šeima. Tai ponas ir ponia Kobos bei jų sūnūs: keturmetis Deilas jaunesnysis ir dvejų metukų Darenas. Kobos atsikraustė iš Anaheimo Kalifornijos valstijoje, kur gyveno šešerius metus. „Kol kas mums labai patinka šis kraštas, – tvirtina ponia Koba. – Nežinau, kaip bus žiemai atėjus. Mes nepratę prie šalto oro.“

Ponas ir ponia Kobos mokėsi Kalifornijos universitete Los Andžele. Baigęs mokslus ponas Koba dirbo Kalifornijos technologijos institute. Pastaruosius šešerius metus jis dirbo Disneilende, „audioanimatronikos“ srityje, padėjo sukurti judančias bei kalbančias Amerikos prezidentų figūras, kurios buvo aprašytos rugpjūčio mėnesio „Nacionalinės Geografijos“ *žurnalo numeryje. Jis taip pat mėgsta medžioti ir skambinti pianinu. Laisvalaikiu ponas Koba, kurio pagrindinis specializacijos dalykas buvo užsienio kalbos, verčia norvegų klasiko romaną* „Komandoro dukterys“*.

Tikriausiai pono Kobos darbas mūsų miestelyje sukels mažesnį susidomėjimą, nei jo veikla Disneilende. Neseniai

* Romanas, kurį parašė norvegų literatūros klasikas *Jonas Lie (1883–1908*).

jis įsidarbino tyrinėjimų ir plėtros skyriuje korporacijoje „Burnham–Massey–Microtech“.“

Ji sukikeno.

Tyrinėjimų ir plėtros! Ir *tikriausiai sukels mažesnį susidomėjimą!*

Ji kikeno ir kikeno.

Neįstengė liautis.

Net *nenorėjo* liautis!

Ji juokėsi ir pakildama nuo stalo bei neatitraukdama akių nuo tvarkingai surikiuotų eilučių „Pastabų apie naujakurius“ skiltyje. *TIKRIAUSIAI sukels mažesnį susidomėjimą!* Dieve švenčiausias!

Ji užvertė didžiulį, rudai įrištą komplektą, ir vis dar juokdamasi pakėlė jį nuo stalo drauge su dar vienu, o tada sugrūdo abu į jų vietą lentynoje.

– Ponia Eberhart? – pasigirdo iš viršaus panelės Austrės balsas. – Jau be penkių šešios. Mes užsidarome.

Dėl Dievo meilės, nustok žvengti.

– Aš jau baigiau! – sušuko Džoana. – Tuoj sudėsiu į lentynas!

– Tik sudėkite teisinga eilės tvarka!

– Būtinai! – pažadėjo ji.

– Ir užgesinkite šviesą.

– *Jawohl*!*

Ji sudėliojo visus komplektus daugmaž tvarkingai.

– O, Dieve švenčiausias!– pratarė ji kikendama. – *Tikriausiai!*

Pasičiupusi paltą ir rankinę, Džoana išjungė šviesą ir prunkšdama pasuko link laiptų, kurių viršuje stovėjo panelė Austrė ir spoksojo į ją. Ir nenuostabu, kad spoksojo!

---

* Žinoma (vok.)

– Ar radote, ko ieškojote? – pasidomėjo panelė Austrė.

– O taip, – atsakė Džoana tramdydama juoką. – Labai jums dėkui. Jūs tiesiog žinių šaltinis. Jūs ir jūsų biblioteka. Ačiū. Gero vakaro.

– Ir jums gero vakaro, – palinkėjo panelė Austrė.

Džoana patraukė į kitoje gatvės pusėje stovinčią vaistinę, nes dabar jai dievaži *reikėjo* raminamųjų. Vaistinės darbo valandos taip pat ėjo į pabaigą. Viduje tvyrojo prietema ir nebuvo nė vieno lankytojo, išskyrus Kornelių šeimyną. Ji ponui Korneliui ištiesė receptą. Šis paskaitė ir tarė:

– Šitų tai turime, tuoj atnešiu.

Ir nuėjo į pagalbines patalpas.

Ji šypsodama žvilgtelėjo į kabyklos strypus. Kažkur už jos dzingtelėjo stiklas ir Džoana apsisuko.

Prie sienos, neapšviestoje vaistinės dalyje, už šoninio prekystalio, stovėjo ponia Kornel. Ji kažką šluostė skudurėliu, po to nušluostė dulkes lentynoje prie sienos ir padėjo tą daiktą atgal. Stiklas dzingtelėjo. Toji aukšta ir šviesiaplaukė moteris turėjo ilgas kojas ir apvalutes šlaunis. Ji atrodė graži kaip... ak, sakykim, kaip Aiko Mazardo moteris. Ji vėl paėmė kažką iš lentynos, nuvalė, po to nušluostė dulkes lentynoje ir padėjo tą daiktą atgal. Stiklas dzingtelėjo. Tuomet ji vėl kažką paėmė iš lentynos...

– Ei, labas vakaras, – pasisveikino Džoana.

Ponia Kornel pasuko galvą.

– Ponia Eberhart, – ištarė ji. – Labas vakaras. Kaip laikotės?

– Tiesiog puikiai, – atsakė Džoana. – Geriau nebūna. O jūs?

– Dėkui, labai gerai, – tarė ponia Kornel. Ji nuvalė kažkokį daiktą, kurį laikė rankoje, nušluostė dulkes lentynoje ir padėjo daiktą atgal. Dzingtelėjo stiklas. Tuomet ji vėl paėmė kažką iš lentynos ir nuvalė...

– Net pavydu, kaip šauniai plušate, – tarė Džoana.

– Aš tik šluostau dulkes, – tarė ponia Kornel ir nušluostė lentyną.

Kažkur iš gilumos atsklido rašomosios mašinėlės tarškėjimas. Džoana pasidomėjo:

– Ar pamenate Getisbergo kalbą?

– Bijau, kad ne, – atsakė ponia Kornel šluostydama kažkokį daiktą.

– Ak, liaukitės, – tarė Džoana. – Juk visi ją moka. „Prieš aštuonias dešimtis ir septynerius metus..."

– Tiek tai aš žinau, tačiau nepamenu likusios dalies, – paaiškino ponia Kornel. Ji padėjo kažkokį daiktą į lentyną. Stiklas dzingtelėjo. Tuomet vėl paėmė kažką iš lentynos ir nušluostė.

– Tiek to, supratau, nesvarbu, – pasakė Džoana. – O ar mokate eilėraštuką „Viru viru košę"?

– Aišku, moku, – atsakė ponia Kornel ir nušluostė dar vieną lentyną.

– Sąskaitą? – paklausė ponas Kornelis. Džoana pasisuko. Jis ištiesė jai mažą buteliuką baltu dangteliu.

– Taip, – atsakė Džoana ir paėmė buteliuką. – Gal turite vandens. Norėčiau vieną sugerti dabar.

Jis linktelėjo ir nuėjo iš kur atėjęs.

Stovėdama su tuo buteliuku rankoje, Džoana ėmė virpėti. Už nugaros vėl dzingtelėjo stiklas. Ji atsuko buteliuko dangtelį ir iškrapštė vatos gumulėlį. Viduje buvo baltos tabletės. Ji išbėrė vieną į delną ir visa virpėdama sugrūdo vatą atgal į buteliuką, o po to užsuko baltą dangtelį. Už nugaros dzingtelėjo stiklas.

Ponas Kornelis grįžo nešinas vienkartiniu puodeliu vandens.

– Dėkui, – tarė ji ir paėmė puodelį. Ji įsidėjo tabletę į burną, užgėrė ir nurijo.

Ponas Kornelis kažką rašė bloknote. Jo viršugalvyje švietė baltos odos lopinėlis, (toks labai panašus į *šliužą*, aptinkamą po akmenimis,) skersai kurį driekėsi rudos palukų sruogos. Džoana išgėrė likusį vandenį, padėjo puodelį ant prekystalio, o buteliuką įsikišo į rankinę. Už nugaros dzingtelėjo stiklas.

Ponas Kornelis atsuko bloknotą jos pusėn, ištiesė rašiklį ir nusišypsojo. Toks visas bjaurus, mažų akučių ir besmakris žmogėnas.

Džoana paėmė rašiklį.

– Jūsų žmona nepaprastai miela, – tarė ji pasirašydama bloknote. – Graži, paslaugi, nuolanki savo ponui ir šeimininkui. Jūs laimingas žmogus.

Ji grąžino rašiklį. Ponas Kornelis, visas išraudęs, paėmė jį.

– Aš žinau, – ištarė jis nudelbęs akis.

– Šiame mieste knibždėte knibžda laimingų vyrų, – pasakė Džoana. – Gero vakaro.

– Gero vakaro, – palinkėjo jis.

– Gero vakaro, – sučiulbo ponia Kornel. – Užeikite dažniau.

Džoana išėjo į Kalėdų girliandomis nutviekstą gatvę. Pro šal pravažiavo keletas automobilių. Jų padangos šliuksėjo.

Vyrų draugijos pastato langai plieskė šviesomis. Kaip ir dar poros namų tolėliau, įkalnėje. Kai kurie langai žybsėjo raudonomis, žaliomis ir oranžinėmis ugnelėmis.

Ji giliai įkvėpė vakaro oro, peržengė per pusnį ir perėjo į kitą gatvės pusę.

Nuėjo iki prožektoriais apšviestos Kalėdų prakartėlės ir sustojusi įsistebeilijo į ją. Žiūrėjo į Mariją ir Juozapą, į Kūdikėlį, į susispietusius aplink ėriukus ir veršiukus. Nors ir atrodė kaip gyvos, tos figūros vis vien neprilygo Disneilendo stebuklams.

– Ar *judu* irgi kalbate? – pasiteiravo ji Marijos ir Juozapo.

Atsakymo neišgirdo. Figūros tik šypsojosi, ir tiek.

Ji dar kurį laiką stovėjo ir žiūrėjo. Virpulys liovėsi. Tuomet ji pasisuko ir patraukė atgal link bibliotekos.

Įsėdo į automobilį ir jį užvedė. Tuomet įjungė priekines šviesas, kirto gatvę, pavažiavo atgal, o tada nėrė pro prakartėlę ir pasuko įkalnės link.

Durys atsidarė, kai ji dar tik ėjo link jų. Tarpduryje išdygo Volteris.

– Kur tu buvai? – paklausė jis.

Keletu spyrių į laiptelį prie laukujų durų Džoana nupurtė sniegą nuo batų.

– Bibliotekoje, – atsakė ji ramiai.

– Kodėl *nepaskambinai?* Pamaniau, kad pakliuvai į kokią avariją. Dėl to sniego...

– Keliai nuvalyti, – pasakė ji brūkšėdama batais į kilimėlį.

– Dėl Dievo meilės, reikėjo paskambint. Jau po šešių.

Ji įėjo vidun. Volteris uždarė duris.

Numetusi rankinę ant kėdės, Džoana puolė traukti nuo rankų pirštines.

– Tai kokia ji? – pasidomėjo Volteris.

– Labai maloni, – atsakė ji. – Simpatiška.

– Ką ji pasakė?

Ji sukišo pirštines į palto kišenes ir ėmė jį atsiseginėti.

– Ji sakė, kad man nepakenktų keletas psichoterapijos seansų, – paaiškino Džoana. – Kad prieš kraustydamasi suvokčiau savo jausmus. Esu draskoma dviejų vienas kitam prieštaraujančių poreikių.

Ji nusivilko paltą.

– Na, skamba kaip visai protingas patarimas, – tarė jis. – Bent jau man taip atrodo. O kaip tu manai?

Ji pažvelgė į paltą, kurį laikė suėmusi už pamušalo ties apykakle, ir užmetė jį ant kėdės. Palto klostės paslėpė rankinę. Džoanos rankos buvo šaltos. Ji ėmė trinti jas delnais viena į kitą ir žiūrėjo tarsi matytų pirmą kartą.

Tuomet ji pažvelgė į Volterį. Šis, iškėlęs galvą, atidžiai ją stebėjo. Skruostai nusėti šerelių, kurie tamsino ir skeltą smakrą. Jo veidas atrodė pilnesnis, nei kad ji manė. Volteris priaugo svorio. O po jo gražiomis mėlynomis akimis ėmė rastis mėsingi maišeliai. Kiek jam metų? Kitąmet, kovo trečiąją, bus keturiasdešimt.

– Aš manau, – tarė Džoana, – jog tai buvo didelė klaida. Didžiulė klaida.

Ji nuleido rankas ir perbraukė delnais sijonuotus šonus.

– Aš išsivežu Pytą ir Kim į miestą, – pareiškė ji. – Pas Šepą ir...

– Kurių galų?

– ...ir Silviją arba į viešbutį. Paskambinsiu tau po dienos kitos. Arba paprašysiu, kad tau paskambintų. Kitas juristas.

Jis pažvelgė į ją nustebęs ir pasakė:

– Apie ką tu *šneki*?

– Aš viską *žinau*, – ramiai tarė ji. – Skaičiau senus „*Kronikos*“ numerius. Žinau, ką *veikė* Deilas Koba kadaise ir žinau, ką jis *veikia* dabar. Jis ir visa ta genijų šutvė iš „Compu-Tech“, „Instatron“ ir...

Jis spoksojo į ją. Staiga sumirksėjo ir tarė:

– Aš nesuprantu, apie ką tu šneki.

– Oi, tik nereikia, gerai? – ji nusisuko ir patraukė per prieškambarį į virtuvę, kur įjungė šviesą. Arkoje, vedančioje į bendrąjį kambarį, buvo tamsu. Ji atsigręžo. Tarpduryje stovėjo Volteris.

– Aš neturiu žalio supratimo, apie ką tu kalbi, – tarė jis.

Džoana nužingsniavo pro jį.

– Baik meluoti, – tarė ji. – Meluoji man nuo tada, kai pirmą kartą paveikslavau.

Ji staiga pasisuko ir ėmė lipti laiptais į viršų.

– Pytai! – pašaukė ji. – Kim!

– Jų ten nėra.

Per laiptų turėklą ji dėbtelėjo į Volterį, ateinantį iš prieškambario.

– Tu taip ilgai negrįžai, – tarė jis, – tai pamaniau, kad jiems geriau pernakvoti kur kitur. Na, žinai, jei būtų kas nutikę...

Ji atsisuko, žiūrėdama į jį iš viršaus, ir paklausė:

– Kur jie?

– Pas draugus, – atsakė jis. – Viskas gerai.

– *Kokius* draugus?

Jis priėjo prie laiptų apačios.

– Vaikams viskas gerai, – tarė jis.

Ji pažvelgė jam tiesiai į akis, o viena ranka įsikabino turėklo.

– Čia kas? Savaitgalis dviese?

– Manding tau vertėtų šiek tiek prigulti, – pasakė Volteris. Viena ranka jis pasirėmė į sieną, o kitą uždėjo ant turėklo.

– Džoana, tu kalbi nesąmones, – tarė jis. – Jeigu kas, tai vaikai būtent pas Dizį. Nesuprantu, kaip *jis* čia įsipainiojęs? O ką tu paistei apie melavimą?

– Ką jūs padarėte? – paklausė Džoana. – Paskubinote užsakymo įvykdymą? Ar todėl visi taip užsiėmę šią savaitę? Kalėdų žaisliukai. *Nejuokinkit!* O ką *tu* ten veikei, matavaisi juos?

– Aš tikrai nesuprantu, apie ką tu...

– Apie manekenus! – sušuko ji.

Džoana palinko į priekį link Volterio, tačiau vis dar laikėsi įsitvėrusi turėklo.

– Apie robotus! Tiesiog nuostabu. Prokuroras nustebęs dėl naujų įtarimų. Veltui švaistai laiką, rūpindamasis kitų paskolomis ir turtu. Tavo vieta – teismo salėje. Kiek tai kainuoja? Gal pasakysi? Mirštu iš smalsumo. Kiek išties kainuoja virtuvėje besisukiojanti ir nieko nereikalaujanti žmona su dideliais papais? Lažinuosi, kad krūvą pinigų. O gal jie tokias daro pigiau grybų, įkvėpti nepamainomos Vyrų draugijos? O kur iškeliauja tikrosios žmonos? Į šiukšlių deginimo krosnį? O gal į Stepfordo tvenkinį?

Jis stovėjo vis dar viena ranka pasirėmęs į sieną, o kitą uždėjęs ant turėklo ir žiūrėjo į Džoaną.

– Lipk į viršų ir prigulk, – tarė jis.

– Aš išeinu, – pareiškė ji.

Volteris papurtė galvą.

– Ne, – pasakė jis. – Niekur tu neisi, kol kalbi tokius dalykus. Lipk į viršų ir pailsėk.

Ji žengtelėjo žemyn per vieną laiptelį.

– Aš nesiruošiu čia pasilikti, kad mane...

– *Niekur tu neisi*, – pareiškė Volteris. – Tuoj pat lipk į viršų ir eik pailsėti. Kai nusiraminsi, mudu... pamėginsime pasikalbėti protingai.

Ji pažvelgė į jį, pasirėmusi viena ranka į sieną, o kita įsitvėrusi turėklo, pažvelgė į savo paltą numestą ant kėdės, tuomet apsisuko ir greitai užbėgo laiptais į viršų. Nuėjusi į miegamąjį ji uždarė duris, pasuko spynoje raktą ir įjungė šviesą.

Džoana priėjo prie tualetinio staliuko, atidarė stalčių ir išsitraukė storą baltą megztinį. Krestelėjo, kad šis išsilankstytų. Tuomet sukišo rankas į megztinio rankoves, užsitempė jį, iškišo galvą pro aukštos atlenkiamos apykaklės angą, sugriebė plaukus ir paskleidė juos palaidus virš apykaklės.

Kažkas pamėgino atidaryti duris. Tada pasigirdo barbenimas.

– Džoana?

– Varyk iš čia, – tarė ji apsitemdama megztiniu. – Aš ilsiuosi. Pats man liepei.

– Įleisk mane minutėlei.

Ji stovėjo žiūrėdama į duris ir tylėjo.

– Džoana, atidaryk duris.

– Vėliau, – tarė ji. – Dabar aš noriu pabūti viena.

Ji stovėjo nejudėdama ir žvelgė į duris.

– Gerai. Vėliau tai vėliau.

Ji dar kurį laiką stovėjo ir klausėsi... tylos. Tada Džoana pasisuko, grįžo prie staliuko ir atidarė viršutinį stalčių. Pasiraususi jame, galiausiai surado porą baltų pirštinių. Ji įspraudė rankas į vieną ir į kitą, išsitraukė ilgą dryžuotą šaliką ir apsimuturiavo juo kaklą.

Priėjusi prie durų, Džoana vėl įsiklausė, o netrukus išjungė šviesą.

Nuėjusi prie lango ji atitraukė naktinę užuolaidą. Kieme švietė lauko žibintas. Kleibrukų svetainėje degė šviesa, tačiau kambaryje nieko nebuvo. Viršutinio aukšto langai – tamsūs. Ji atsargiai atidarė langą. Paaiškėjo, kad ten dar vienas, žieminis langas.

Ji pamiršo apie tuos prakeiktus dvigubus langus.

Ji stumtelėjo rėmo apačią. Tačiau langas laikėsi tvirtai ir net nepajudėjo. Tuomet ji trinktelėjo pirštinėta ranka, o po to įsisprendė abiem rankomis. Rėmas pasistūmė keletą centimetrų, bet toliau nejudėjo. Ji iki pat galo atsuko mažas metalines lango rankenėles. Matyt, teks jas atveržti nuo lango rėmų.

Po langu apačioje plykstelėjo šviesa.

Volteris darbo kambaryje.

Ji atsitraukė nuo lango, atsitiesė ir įsiklausė. Už nugaros pasigirdo negarsus čerškėjimas. Jis sklido iš telefono aparato, stovinčio ant naktinio stalelio. Kartojosi vėl ir vėl. Ilgas, trumpas, ilgas.

Volteris darbo kambaryje kažkam skambino – rinko numerį.

Skambina Deilui Kobai. Nori pranešti, kad ji čia. Vykdykite planą. Viskas paruošta.

Ji pirštų galiukais nutipeno prie durų ir pasiklausiusi jas atrakino. Stumtelėjo ir durys atsivėrė. Ranką ji laikė iškėlusi priešais. Pyto *„Žvaigždžių tako“* šautuvas gulėjo greta jo kambario slenksčio. Iš apačios sklido neaiškus Volterio murmėjimas.

Ji nutipeno iki laiptų ir iš lėto, atsargiai, ėmė leistis žemyn. Ji kaip įmanydama spaudėsi prie sienos ir nuolat žvelgė žemyn pro turėklo groteles į darbo kambario tarpdurio kraštą.

– ...nežinau, ar įstengsiu pats susitvarkyti...“

Jūs velniškai teisus, advokate. Tikrai nesugebėsit.

Tačiau kėdė prie laukujų durų stovėjo tuščia. Nei palto, nei rankinės su automobilio rakteliais ir pinigine.

Ir vis tiek, šitaip žymiai geriau nei lipti pro langą.

Ji pasiekė prieškambarį. Jis kažką pasakė ir nutilo. Ar ieškoti rankinės?

Darbo kambaryje pasigirdo žingsniai. Džoana nėrė į svetainę, atsistojo prie sienos ir prisispaudė visa nugara.

Jo žingsniai nuaidėjo prieškambaryje, priartėjo prie tarpdurio ir nutilo.

Džoana sulaikė kvėpavimą.

Ji išgirdo virtinę trumpučių švilptelėjimų. Tai buvo įprastas Volterio garsas, kurį jis išleisdavo prieš imdamasis svarbių darbų norėdamas kaip reikiant viską apgalvoti. Pavyzdžiui, sudėti žieminius langus, sumontuoti triratuką (Užmušti žmoną? O gal medžiotojas Koba teikia šią paslaugą?). Ji užsimerkė ir stengėsi negalvoti. Baiminosi, kad jos mintys gali kažkaip prišaukti Volterį.

Dabar jo žingsniai pasigirdo ant laiptų. Volteris lėtai lipo aukštyn.

Ji atsimerkė ir po truputėlį atpalaidavo kvėpavimą. Laukė, kol jis užlips aukščiau. Ji tylutėliai nuskubėjo per svetainę, aplink kėdes, lempos staliuką, link durų, vedančių į vidinį kiemą. Atrakino jas ir atidarė. Tuomet atrakino antrąsias duris ir šiek tiek jas pravėrė, nustumdama prisnigto sniego tumulus.

Ji prasispraudė pro plyšį laukan ir pasileido bėgti per sniegą. Ji bėgo ir bėgo. Atrodė, kad jos besidaužanti širdis tuoj iššoks. Bėgo link tamsių medžių kamienų, sniegu išvažinėtu rogutėmis, ir išmargintu Pyto ir Kim batų padų žymėmis. Bėgo ir bėgo. Apglėbė rankomis kamieną, apsisuko ir pasileido tolyn klupdama, dusdama, bėgdama apgraibomis tarp medžių kamienų. Nesibaigiančių medžių kamienų. Ji bėgo klupdama, dusdama, apgraibomis, laikydamasi savotiškos medžių juostos vidurio. Medžių, kurie skyrė namus Giedrojo žvilgsnio gatvėje nuo Pjūties gatvėje stovinčiųjų.

Jai reikėjo nusigauti iki Rutanos namų. Rutana paskolintų jai paltą ir pinigų. Leistų išsikviesti Ystbridžo taksi ar paskambinti kam nors mieste – Šepui, Doris ar Andreasui – kas turi automobilį ir gali atvažiuoti jos paimti.

Pytas ir Kim nepraputs. Ji *privalėjo* tuo tikėti. Kol nuvažiuos į miestą, pasikalbės su žmonėmis, su advokatu ir susigrąžins juos iš Volterio. Tikriausiai juos puikiausiai prižiūri Bobė, Kerolė ar Merė Ana Stavros – teisingiau, būtybės vadinamos tokiais vardais.

Reikia *įspėti* ir Rutaną. Juk jos galėtų išvažiuoti kartu, nors Rutana dar turi laiko.

Medžių juosta baigėsi. Džoana apsižiūrėjo, ar nėra automobilių ir perbėgo Žiemos kauburio kelią. Abiejuose kelio pusėse stovėjo apsnigtos melsvosios eglės. Jų eilė tęsėsi iki pat tolumos. Džoana nuskubėjo tolyn, slapstydamasi už tų eglių. Ji bėgo sukryžiavusi rankas ant krūtinės, sukišusi pirštinėtas plaštakas į pažastis.

Gvendolinos gatvė, kurioje gyveno Rutana, driekėsi kažkur netoli Striukojo kalvagūbrio, tolyn, pravažiavus Bobės namus. Kad ten nukaktų, jai prireiks bemaž valandos. Arba dar ilgiau. Juk aplink tamsu, o po kojomis – sniegas. Ji nedrįso susistabdyti pakeleivingos mašinos. Bet kurioje galėjo sėdėti Volteris. Ji tą sužinotų, kai būtų per vėlu.

Staiga ji suvokė, kad ne tik Volteris. *Visi* išeis jos ieškoti, šukuos kelius, pasišviesdami žibintuvėliais ir prožektoriais. Argi jie leistų jai ištrūkti ir papasakoti, kas čia dedasi? Kiekvienas vyras kėlė grėsmę, kiekvienas automobilis žadėjo pavojų. Prieš skambinant į Rutanos namų duris, reikės įsitikinti, ar nėra jos vyro. Pasižvalgyti per langus.

O, Dieve, ar ji *įstengs* pasprukti? Juk kitoms nepavyko.

Bet galbūt kitos nė nebandė. Nei Bobė, nei Šermeina. Galbūt ji pirmoji, kuri laiku sužinojo. Jeigu *tikrai* laiku...

Ji paliko užnugary Žiemos kauburį ir nuskubėjo Talko gatve. Blykstelėjo priekinių žibintų šviesos ir kiek tolėliau, kitoje gatvės pusėje, iš įvažiavimo išsliuogė automobilis. Džoana susigūžė ir, pritūpusi už palikto automobilio, sustingo. Šviesos nuslydo po ją ir automobilis nuvažiavo pro šalį. Ji atsistojo ir apsižvalgė: automobilis važiavo lėtai ir, žinoma, iš jo vidaus sklido žibintuvėlio šviesa. Spindulys kruopščiai tikrino visų namų prieigas ir apsnigtas vejas.

Ji nuskubėjo tolyn Talko gatve. Pro tylius namus, kurių languose švietė Kalėdų ugnelės ir kurių duris puošė Kalėdų girliandos. Nors rankos ir kojos šalo, Džoana jautėsi pakankamai gerai. Talko gatvės pabaigoje driekėsi Senasis Norvudo plentas. Nuo ten reikia sukti į Dūmtraukio plentą arba Hanikatą.

Netoliese sulojo šuo. Lojimas virto įniršiu. Tačiau netrukus jis liko kažkur toli. Džoana skubėjo.

Staiga pakelėje, ant sutrypto sniego dalies, ji išvydo nulaužtą milžinišką medžio šaką. Priėjusi artyn, priminė batu vieną jos dalį ir nusilaužė pusę. Tada, laikydama pirštinėtoje rankoje šaltą ir drėgną pagalį, ji vėl skubiai patraukė tolyn.

Žibintuvėlio šviesos pluoštas blykstelėjo Pušų gatvėje. Džoana bėgo tarp dviejų namų, per sniegą, link krūmynus slepiančios pusnies kauburio. Dusdama puolė į priedangą ir susirietė iki pat pažemės, tačiau rankoje vis dar laikė nulaužtą pagalį. Pirštus gėlė nuo šalčio. Pirštinės buvo plonos.

Ji kyštelėjo galvą ir apsidairė. Aplink tik galinės namų sienos ir languose plieskianti šviesa. Nuo vieno kraigo į viršų pažiro raudonų žiežirbų spiečius ir ėmė sūkuriuoti, tačiau greitai išnyko tarp spindinčių žvaigždžių. Šviesos srautas žybtelėjo tarp dviejų namų, ir ji dar labiau užlindo už snieguoto krūmo. Tuomet ėmė trinti apautą kojine kelį, o kitą šildė paslėpusi alkūnės išlenkime.

Blausi šviesa per sniegą slinko jos link. Atspindžiai nuslydo Džoanos sijonu ir pirštinėta ranka.

Ji palaukė. Dar šiek tiek. Galiausiai išlindo pasižiūrėti. Tamsi žmogaus figūra, sekdama šviesos nutviekstą sniego lopą, artėjo link namų.

Džoana palaukė, kol žmogus nuėjo, tada pakilo ir pasileido link kitos artimiausios gatvės. Hikorijos? Šveicarų? Ji nelabai suvokė, kur esanti, tačiau abi šios gatvės vedė link Striukojo kalvagūbrio plento.

Ji bemaž nejautė pėdų, nors batų pamušalas ir buvo vilnonis.

Šviesos pluoštas akinamai blykstelėjo, todėl ji apsisuko ir ėmė bėgti. Šviesa akimirksniu nusekė įkandin. Džoana metėsi į kelkraštį, įbėgo į nuvalytą įvažiavimą prie namo, tada pasileido pro garažo kampą ir ilga apsnigta atšlaite. Ji paslydo ir pargriuvo, tačiau nepaleido iš rankos pagalio, vėl atsistojo ir lygiu sniegu nubėgo toliau. Tuo tarpu šviesos artėjo. Galiausiai ji atsidūrė pačiame sraute. Tuomet, sunkiai šnopuodama, sustojo, pažvelgė į snieguotą, be jokios priedangos lygumą ir apsisukusi sustingo it įbesta.

– Nešdinkitės iš čia! – sušuko ji. Pora žibintų šliaužė artyn iš vienos pusės, o dar viena – iš kitos. Džoana pakėlė pagalį.

– Nešdinkitės iš čia!

Šviesos ėmė artėti dar greičiau. Po to sulėtėjo ir sustojo. Dabar ji nieko neįstengė įžiūrėti. Šviesos srautas buvo akinantis.

– Nešdinkitės iš čia! – vėl suriko Džoana ir prisidengė akis.

Šviesos intensyvumas sumažėjo. Tada pasigirdo įvairiausi balsai:

– Išjunkite jas. Mes jūsų nenuskriausime, ponia Eberhart.

– Nesibaiminkite. Mes Volterio draugai.

Šviesos užgeso. Džoana panarino galvą.

– Mes ir *jūsų* draugai. Aš Frenkas Rodenberis. Juk pažįstate mane.

– Nusiraminkite, čia niekas nelinki jums bloga.

Priešais ją išdygo tamsios figūros. Tamsesnės už juodžiausią tamsą.

– Nesiartinkite, – įspėjo Džoana ir aukščiau iškėlė pagalį.

– Meskit tą šaką.

– Niekas čia jūsų nenuskriaus.

– Tai nešdinkitės iš čia, – pasakė ji.

– Visi jūsų ieško, – pasigirdo Frenko Rodenberio balsas. – Volteris nerimauja.

– Ir dar kaip nerimauja, – tarė Džoana.

Jie stovėjo maždaug už keturių ar penkių metrų nuo jos. Trys vyrai.

– Jums nederėtų šitaip bėgioti po miestelį, neapsirengus palto, – tarė vienas iš jų.

– Nešdinkitės, – pakartojo Džoana.

– Me-meskit tą pagalį, – prabilo Frenkas. – Niekas čia jūsų nepuls.

– Ponia Eberhart, prieš kokias penkias minutes kalbėjau telefonu su Volteriu, – tarė vidurinysis vyriškis. – Mes žinome, ką jūs galvojate. Ponia Eberhart, jūsų idėja *klaidinga*. Patikėkite, tikrai nėra taip, kaip manote.

– Čia niekas negamina jokių robotų, – patvirtino Frenkas.

– Tikriausiai manote, kad mes velnioniškai protingesni nei esame iš tiesų, – tarė vidurinysis. – Robotai, vairuojantys automobilius? Gaminantys maistą? Kerpantys vaikams plaukus?

– Ir tokie panašūs į gyvus žmones, kad net vaikai nepastebi?– pridūrė trečiasis vyras. Jis buvo žemaūgis ir apkūnus.

– Tikriausiai manote, kad šiame miestelyje knibždėte knibžda genijų, – tęsė vidurinysis. – Patikėkite, mes anaiptol tokie nesame.

– Tai jūsų dėka mes atsidūrėme mėnulyje, – tarė ji.

– *Kieno* dėka? – paklausė jis. – Tik jau ne mano. Frenkai, ar tu ką nors pasiuntei į mėnulį? O tu, Berni?

– Tik ne aš, – pasakė Frenkas.

Žemaūgis nusijuokė.

– Ir ne aš, Vinai. – tarė jis. – Kiek man žinoma.

– Manding jūs mus painiojate su kitais žmonėmis, – vėl prabilo vidurinysis. – Galbūt su Leonardu da Vinčiu ar Albertu Einšteinu.

– Po velnių, – tarė trumpulis, – mums tikrai nereikalingi *robotai* vietoj žmonų. Mums reikia tikrų moterų.

– Nešdinkitės iš čia ir leiskite man eiti toliau, – pasakė Džoana.

Jie stovėjo ten pat tamsesni už tamsą.

– Džoana, – prabilo Frenkas, – jeigu būtumėt teisi ir mes tikrai sugebėtumėm pagaminti tokius nuostabius ir į žmones panašius robotus, tai ar nemanote, kad jau seniai būtumėm iš to pasipelnę.

– Teisingai, – pritarė vidurinysis. – Visi praturtėtume, jeigu sugebėtume įgyvendinti tokias užmačias.

– Gal jūs to ir siekiate, – tarė ji. – Gal čia tik pradžia.

– O, Viešpatie, – tarė vyriškis. – Jūs turite atsakymą į kiekvieną klausimą. Tai jums vertėjo tapti teisininke, o ne Volteriui.

Frenkas ir žemaūgis nusijuokė.

– Baikit, Džoana, – pasakė Frenkas. – Pa-padėkite tą lazdą ar ką čia turite ir...

– Nešdinkitės iš čia ir leiskite man eiti toliau! – sušuko Džoana.

– Negalime, – ramiai pasakė vidurinysis. – Pasigausite plaučių uždegimą. Arba jus partrenks automobilis.

– Aš einu pas draugę, – pasakė ji. – Po keleto minučių jau būsiu viduje. Seniai sėdėčiau šiltame kambaryje, jeigu jūs ne... o, Jėzau...

Ji nuleido pagalį ir ėmė trinti nušalusią ranką. Po to pasitrynė akis ir kaktą. Džoaną krėtė drebulys.

– Leiskite jums *įrodyti*, kad klystate, – vėl prabilo vidurinysis. – Tuomet parvešime jus *namo*, kur sulauksite pagalbos, jeigu prireiks.

Ji pažvelgė į jo tamsų siluetą.

– *Įrodyti* man? – tarė ji.

– Nuvešime jus į Vyrų draugijos namus...

– Tai jau ne...

– Minutėlę. Tik prašau išklausyti. Nuvešime jus į tuos namus, kur galėsite kruopščiai viską patikrinti. Manau, esant tokioms aplinkybėms, niekas neprieštaraus. Pati pamatysite, kad...

– Aš ten kojos nekelsiu...

– Pamatysite, kad ten nėra jokios robotų gamyklos, – tęsė jis. – Tik baras, lošimo kortomis kambarys ir keletas kitų patalpų. Štai ir viskas. Yra dar kino projektorius ir keletas pornografinių filmų. Tokia ta mūsų didžioji paslaptis.

– Ir dar pora lošimo automatų.

– Aš nekelčiau ten kojos be ginkluotos gvardijos, – pasakė ji. – Ginkluotų moterų gvardijos.

– Mes išvesime visus iš pastato, – tarė Frenkas. – Galėsite viena viską pažiūrėti.

– Aš ten neisiu, – pareiškė Džoana.

– Ponia Eberhart, – vėl parbilo vidurinysis, – mes stengiamės elgtis mandagiai – kiek tik sugebame tokioje situacijoje. Tačiau viskam yra ribos. Mes nesiruošiame stovėti čia amžinai ir derėtis su jumis.

– Palaukite, – įsiterpė žemaūgis. – Sugalvojau. Tarkime, viena iš tų moterų, kuri, jūsų manymu, yra robotas, įsipjautų pirštą ir imtų kraujuoti... Ar šitai *įtikintų* jus, kad ji tikras žmogus? O gal tvirtinsite, jog kuriame robotus, kurių gyslomis teka kraujas?

– Dėl Dievo meilės, Berni, – ištarė vidurinysis.

– Juk negalima... prašyti moters, kad ši įsipjautų tik todėl, kad... – ėmė prieštarauti Frenkas.

– Būkit geri, leiskite jai atsakyti į mano klausimą. Tai kaip, ponia Eberhart. Ar toks dalykas įtikintų jus? Jeigu moteris įsipjautų pirštą, o iš žaizdos pasipiltų kraujas?

– *Berni*...

– Po velnių, leiskite jai pasakyti!

Džoana stovėjo išplėtusi akis. Ji linktelėjo galva.

– Jeigu moteris kraujuos, – tarė Džoana, – aš patikėsiu, kad... ji tikra.

– Nieko mes neprašysime pjaustytis. Tuoj nuvažiuosime į...

– Bobė tą padarytų, – nutraukė Džoana. – Jeigu ji išties Bobė. Ji mano draugė. Bobė Markovė.

– Gyvena Lapės olos gatvėje? – pasiteiravo trumpulis.

– Taip, – patvirtino ji.

– Matot? – tarė jis. – Dvi minutės kelio nuo čia. Jūs tik pagalvokit. Nereikės belstis iki pat „Centro“ ir nereikės ponios Eberhart prievarta gabenti ten, kur ji nepageidauja...

Vyrai tylėjo.

– Ką aš žinau... gal ir ne-nebloga mintis, – prabilo Frenkas. – Pakalbėtume su ponia Markove...

– Ji nekraujuos, – ramiai pasakė Džoana.

– Kraujuos, – paprieštaravo vidurinysis. – O kai taip nutiks, suprasite, kad klydote ir be jokių atsikalbinėjimų leisite parvežti jus namo pas Volterį.

– *Jeigu* ji kraujuos, – tarė Džoana, – tada taip.

– Gerai, – ištarė jis. – Frenkai, bėk pirmas ir pažiūrėk, ar toji moteris namie. Jeigu taip, pasikalbėk su ja ir viską paaiškink. Ponia Eberhart, paliksiu savo žibintuvėlį ant sniego. Mudu su Berniu paėjėsime šiek tiek į tolyn. Paimkite žibintuvėlį ir sekite paskui mus tokiu atstumu, koks jums patinka. Tik visą laiką švieskite į mus. Taip žinosime, kad esate greta. Palieku ir savo striukę. Apsivilkite. Girdžiu, kaip kalenate dantimis.

Ji suklydo. Ir puikiai tą žinojo. Ji suklydo, buvo sušalusi, šlapia, pavargusi, alkana ir graužiama aštuoniolikos prieštaraujančių vienas kitam poreikių. Tarp jų – kuo greičiau nusišlapinti.

Jeigu jie žudikai, tai jau *seniai* būtų ją nudėję. Toji šaka jų nesustabdytų. Trise prieš vieną moterį.

Ji pakėlė pagalį ir pažvelgė į jį. Ėjo lėtai. Skaudėjo pėdas. Ji numetė pagalį. Pirštinė buvo drėgna ir purvina, pirštai sušalę. Džoana sulenkė juos ir pasikišo ranką po kita pažastimi. Ji kiek įmanoma tvirčiau laikė ilgą sunkų žibintuvėlį.

Vyrai mažais žingsneliais ėjo priekyje. Žemaūgis vilkėjo rudą striukę ir dėvėjo raudoną odinę kepurę. Aukštesnysis vyras vilkėjo žalius marškinius ir mūvėjo gelsvai rudas kelnes, sukištas į rudus batus.

Avikailio skranda, kurią jis paliko, šiltai gaubė Džoanos pečius. Drabužis skleidė stiprų ir malonų kvapą. Gyvulių ir gyvybės kvapą.

Bobė kraujuos. Tai tik sutapimas, kad Deilas Koba kūrė robotus Disneilende, kad Klodas Akselmas manė esąs Henris Higinsas, kad Aikas Mazardas piešė mielus eskizus. Sutapimas, kad jai... pasimaišė protelis. Taip, pasimaišė. („Patikėkit, *nieko* baisaus čia nėra, – pasakė daktarė Fenčer šypsodama. – Aš tikrai sugebėsiu jums padėti.“)

Bobė tikrai krujuos, o ji parvažiuos namo ir sušils.

Namo pas Volterį?

Kada tai prasidėjo? Kada ji ėmė nepasitikėti juo? Kada pradingo tas bendrumo jausmas? Dėl kieno kaltės?

Jo veidas papilnėjo. Kodėl ji tą pastebėjo tik šiandien? Ar ji pernelyg užsižaidė paveiksluodama ir nuolat tūnodama tamsiajame kambarėlyje?

Pirmadienį ji paskambins daktarei Fenčer. Nuvažiuos ir atsiguls ant tos rudos odinės kanapos. Galbūt truputėlį paverks ir pasistengs tapti laiminga.

Vyrai laukė jos ties Lapės olos gatvės kampu.

Ji paspartino žingsnį.

Frenkas stovėjo apšviestame Bobės namų tarpduryje. Vyrai šnektelėjo su juo ir atsigrįžo į Džoaną, lėtai einančią durų link.

Frenkas nusišypsojo.

– Ji sutinka, – tarė jis. – Jeigu tau pa-palengvės, ji mielai tą padarys.

Džoana padavė žibintuvėlį žaliamarškiniui. Jo veidas pasirodė platus, kietas ir stiprus.

– Mes palauksime čia, – tarė jis ir paėmė skrandą nuo jos pečių.

Džoana sudvejojo:

– Gal nereikia, kad ji...

– Ne, eikite vidun, – paragino jis. – Pagalvosite vėliau.

Frenkas žengtelėjo ant slenksčio.

– Ji virtuvėje, – tarė jis.

Džoana nuėjo į vidų. Ją iškart apgaubė namo šiluma. Iš viršaus sklido plerpiantys ir dunksintys roko muzikos garsai.

Ji nužingsniavo prieškambariu, lankstydama skaudančias rankas.

Bobė stovėjo virtuvėje ir laukė. Mūvėjo raudonos spalvos ilgas laisvas kelnes ir buvo pasirišusi prijuostę su išpiešta milžiniška saulute.

– Labas, Džoana, – pasisveikino Bobė ir nusišypsojo.

Gražioji krūtingoji Bobė. Bet ne robotas.

– Sveika, – atsakė Džoana. Ji pasirėmė į durų staktą ir priglaudė galvą.

– Apgailestauji, kad patekai į tokią bėdą, – tarė Bobė.

– Aš ir pati kremtuosi, – tarė ji.

– Žinai, aš nieko prieš truputį įsipjauti pirštą, – pasakė Bobė. – Jeigu tik tu atgausi dvasios ramybę.

Ji nuėjo prie spintelės. Judėjo ramiai, tvirtai ir grakščiai. Priėjusi atidarė stalčių.

– Bobe... – pratarė Džoana. Ji užsimerkė ir vėl atsimerkė.

– Ar tu tikrai Bobė? – paklausė.

– Tai žinoma, – atsakė Bobė. Rankoje laikydama peilį, ji priėjo prie kriauklės.

– Eikš čionai, – paragino Bobė. – Iš ten nieko nematysi.

Roko muzika sublerbė dar garsiau.

– Kas ten viršuje vyksta? – pasiteiravo Džoana.

– Bala žino, – atsakė Bobė. – Ten Deivas su berniukais. Ateik artyn. Kitaip nematysi.

Peilis buvo didžiulis, su aštria geležte.

– Su tokiu peiliu tu nusipjausi visą ranką, – tarė Džoana.

– Būsiu atsargi, – patikino Bobė ir nusišypsojo. – Eikš.

Ji pamojo milžinišku peiliu.

Džoana atitraukė galvą nuo staktos ir paleido ranką, kuria laikėsi įsitvėrusi. Ji įžengė į virtuvę. Tokią spindinčią ir nepriekaištingą. Visiškai nebūdingą Bobei.

Džoana sustojo. *„Toji muzika groja tik todėl, kad niekas negirdėtų mano klyksmo,* – pagalvojo ji. – *Ji net neketina įsipjauti piršto. Ji rengiasi nu...“*

– Eikš gi, – dar kartą paragino Bobė. Ji vėl pamojo Džoanai milžinišku aštriu peiliu.

„Nieko baisaus, daktare Fenčer? Manyti, kad jos robotai, o ne moterys? Manyti, kad Bobė mane nužudys? Ar tikrai sugebėsite man padėti?“

– Žinai, Bobe, gal nereikia, – tarė Džoana.

– Tu atgausi dvasios ramybę, – pasakė Bobė.

– Po Naujųjų pradedu lankytis pas psichoanalitiką, – ėmė aiškinti Džoana. – Va tada tikrai *atgausiu* dvasios ramybę. Bent jau tikiuosi.

– Eikš, – pakartojo Bobė. – Vyrai laukia.

Džoana priėjo artyn prie Bobės, stovinčios su peiliu rankoje greta kriauklės. Ji atrodė tokia panaši į tikrą žmogų – oda, akys, plaukai, rankos, prijuoste pridengta krūtinė – kad paprasčiausiai *negalėjo* būti robotas. Ji paprasčiausiai *negalėjo*, ir baigtas kriukis.

Vyrai stovėjai ant slenksčio susikišę rankas į kišenes. Į nakties dangų kilo jų iškvepiamo oro tumulai. Frenkas judino klubus į abi puses pagal garsiai skambančią roko muziką.

Bernis tarė:

– Ko jos ten taip ilgai?

Vinas ir Frenkas gūžtelėjo pečiais.

Roko muzika blerbė toliau.

Vinas pasakė:

– Paskambinsiu Volteriui ir pranešiu, kad ją radome.

Jis nuėjo į vidų.

– Prigriebk Deivo mašinos raktelius! – šūktelėjo įkandin Frenkas.

Trečioji dalis

Automobilių stovėjimo aikštelė prie prekybos centro atrodė bemaž perpildyta, tačiau ji surado gerą vietelę netoli įėjimo. Paprasčiausiai pasisekė. Skaisčiai švietė saulė, o vos tik išlipus iš automobilio plūstelėjo drėgnas salstelėjęs oro kvapas. Todėl nerimas, apimantis kaskart išsiruošus apsipirkti, kiek apmažėjo. Na, bent jau *truputėlį*.

Panelė Austrė išėjo pro prekyvietės duris ir, šlubčiodama ir pasiramsčiuodama lazdele, patraukė artyn. Rankoje ji laikė nediduką popierinį krepšį, o blyškiame širdžių ėdikės veide (ji negalėjo patikėti) žaidė draugiška šypsena. Ar panelė Austrė šypsojosi jai?

– Labas rytas, ponia Hendri, – pasilabino panelė Austrė. Jūs tik pagalvokit! Pasirodo ir su juodaodžiais galima bendrauti.

– Labas rytas, – atsakė ji.

– Šiemet kovo mėnuo romus it ėriukas, tiesa?

– Taip, – pritarė ji. – Nors atrodė, kad bus nirtus it dvigalvis liūtas.

Panelė Austrė sustojo ir sužiuro į ją.

– Jau porą mėnesių nemačiau jūsų bibliotekoje, – tarė ji. – Tikiuosi, neiškeitėte mūsų į televizorių.

– Oi, tikrai ne, – patikino ji. – turėjau daug darbo.

– Dar viena knyga?

– Taip.

– Tada gerai. Praneškite, kai išspausdins. Užsakysime bibliotekai.

– Būtinai pranešiu, – tarė ji. – O tai bus labai greitai. Jau bemaž baigiau rašyti.

– Geros dienos, – palinkėjo panelė Austrė ir šypsodama nuklibikščiavo tolyn.

– Dėkui. Jums taip pat.

Ką gi, čia buvo *pirmasis* pirkinys.

Galbūt ji pernelyg jautri. Tikriausiai panelė Austrė elgiasi šaltai ir su baltaisiais, kurie čia tik naujokai ir neišgyveno miestelyje mažiausiai trijų mėnesių.

Ji įžengė į prekybos centrą pro atsidarinėjančias duris ir susirado tuščią prekių vežimėlį. Pasažai tarp eilėmis sukrautų prekių virto nuolatine šeštadienio pasivaikščiojimų vieta.

Ji ėjo greitai, imdama iš lentynų reikalingas prekes, apsukriai stumdama vežimėlį. Pirmyn, atgal, aplink.

– Atsiprašau. Atleiskit.

Tačiau ją vis vien erzino aplinkinių moterų pirkimo būdas. Jos apatiškai šliaužė tarp lentynų, niekur neskubėdamos, lyg niekad neprakaituotų. Ar ji taip galėtų? Tapti viena tų baltaodžių, kurios net į *vežimėlius* viską sukrauna tvarkingai! Kol jos apžiūri vieną eilę, ji įstengtų apsipirkti visame prekybos centre.

Prie jos priėjo Džoana Eberhart. Atrodė nepakartojamai. Vilkėjo blyškiai melsvos spalvos švarkelį, tampriai suveržtą diržu. Jos figūra buvo puiki ir atrodė dar gražiau nei Rutana prisiminė, o tamsūs plaukai vešliomis sruogomis krito atgal. Ji prisiartino iš lėto, dairydamasi į lentynas.

– Labas, Džoana, – pasisveikino Rutana.

Džoana sustojo ir pažvelgė į ją rudomis akimis, kurias puošė tankios blakstienos.

– Rutana, – tarė ji. – Sveikutė. Kaip laikaisi?

Jos dažytos lūpos plieskė raudoniu, o veidas švietė blyškia rausva spalva ir atrodė tobulas.

– Puikiai, – atsakė į klausimą Rutana ir nusišypsojo. – Nereikia ir klausti, kaip *tu* laikaisi. Atrodai pasakiškai.

– Dėkui, – tarė Džoana. – Pastaruoju metu skiriu sau truputį daugiau dėmesio.

– Tai ir matyti, – patikino Rutana.

– Atsiprašau, kad nepaskambinau, – tarė Džoana.

– Ai, nieko tokio, – Rutana stumtelėjo savąjį vežimėlį ir pastatė jį greta Džoanos pirkinių. Kad žmonės galėtų praeiti.

– Aš tikrai norėjau, – tęsė Džoana, – bet namuose susikaupė tiek daug darbo. Juk pati žinai, kaip būna.

– Viskas gerai, – nuramino Rutana. – Aš taip pat dirbau. Bemaž baigiau knygą. Liko dar viena pagrindinė iliustracija ir keletas mažesnių piešinukų.

– Sveikinu, – pasakė Džoana.

– Ačiū, – padėkojo Rutana. – O ką *tu* nuveikei? Ar nupaveikslavai dar ką nors įdomaus?

– Oi, ne, – mostelėjo ranka Džoana. – Aš jau nefotografuoju.

– Nebe? – nustebo Rutana.

– Ne, – patvirtino Džoana. – Nebuvau itin gabi. Iššvaisčiau marias laiko, kurį galėjau žymiai naudingiau praleisti.

Rutana pažvelgė į ją.

– Kurią dieną būtinai tau paskambinsiu. Kai truputį apsidirbsiu, – pasakė Džoana ir nusišypsojo.

– O ką tu veiki be namų ruošos? – pasidomėjo Rutana.

– Praktiškai nieko, – atsakė Džoana. – Man pakanka ir namų ruošos. Galvojau, kad reiktų dar kažkokių pomėgių. Tačiau dabar jaučiu didžiulį palengvėjimą, dvasios ramybę. Esu žymiai laimingesnė. Kaip ir mano šeima. Juk tai ir yra svarbiausia, taip?

– Taip, tikriausiai, – ištarė Rutana ir žvilgtelėjo į jųdviejų vežimėlius. Rutanos vežimėlyje velnias būtų nusilaužęs koją – prekės gulėjo suverstos į krūvą bet kaip. Tuo tarpu Džoanos vežimėlyje viskas sudėliota nepriekaištingai tvarkingai. Rutana stumtelėjo savąjį ir atlaisvino Džoanai kelią.

– Tai gal vis dėlto galėtumėm papietauti, – tarė ji žiūrėdama į Džoaną. – Kaip tik baigiu knygą.

– Tikriausiai galėtumėm, – pasakė Džoana. – Miela buvo susitikti.

– Man irgi, – pasakė Rutana.

Šypsodama Džoana nuėjo tolyn. Staiga stabtelėjo, paėmė iš lentynos dėžutę, apžiūrėjo ją ir tvarkingai įdėjo į vežimėlį. Tada iš lėto pajudėjo į priekį.

Rutana stovėjo ir žiūrėjo į ją. Po kiek laiko apsisuko ir nuėjo į priešingą pusę.

Ji neįstengė susikaupti darbui. Ji žingsniavo pirmyn ir atgal po ankštą kambariuką. Pažvelgė pro langą į Čikę ir Sarą, žaidžiančias lauke su Koheinų mergaitėmis. Pervertė krūvą baigtų piešinių ir nusprendė, kad jie nėra jau tokie nuostabūs ir meistriški, kaip jai atrodė.

Kai ji pagaliau sėdo piešti Penės, kuri vėl kažką sumanė, buvo bemaž penkios popiet.

Ji nusileido į darbo kambarį.

Rojalas sėdėjo ir skaitė knygą „*Vyrų grupuotės*“*. Apautas mėlynomis kojinėmis pėdas laikė uždėjęs ant pagalvėlės. Jis pakėlė akis nuo knygos ir pažvelgė į ją.

– Jau baigei? – pasidomėjo jis. Sulūžusius akinių rėmelius Rojalas sutvirtino apvyniodamas lipnia juostele.

– Nė velnio, – atsakė Rutana. – Aš tik pradėjau.

– Kaip tai?

– *Aš* nežinau, – prisipažino ji. – *Kažin kas* neduoda man ramybės. Klausyk, ar galiu paprašyti? Darbas pajudėjo ir aš noriu jį pabaigti.

– Vakarienė? – paklausė jis.

Ji linktelėjo.

– Gal nuvežk jas į piceriją? O gal į „McDonald's“ restoraną?

Jis pasiėmė nuo stalo pypkę ir tarė:

– Gerai.

– Aš tikrai noriu pabaigti knygą, – tarė ji. – Antraip ateinantis savaitgalis nueis šuniui ant uodegos.

Jis pasidėjo atverstą knygą ant kelių ir paėmė nuo stalo prietaisą pypkei valyti.

Ji apsisuko eiti. Tuomet atsigrįžo ir pažvelgė į jį.

– Ar tu tikrai nieko prieš? – paklausė ji.

Jis pypkės galvutėje sukaliojo prietaisą pirmyn ir atgal.

– Tikrai ne, – patvirtino jis. – Tu dirbk.

Jis pažvelgė į ją ir nusišypsojo.

– Aš nieko prieš.

---

* Amerikiečio Lajonelio Taigerio (*Lionel Tiger*) knyga, išleista 1969 m. ir sukėlusi daugybę prieštaringų vertinimų. Joje kiek neįprastai žvelgiama į vyrų visuomenines bendrijas ir individų elgsenos ypatumus.

Levin, Ira

Le-379 Stepfordo moterys: romanas / Ira Levin; iš anglų kalbos vertė Linas Ruzgys. – Kaunas: „Obuolys“ („Obuolys“ yra IĮ „PS IN CORPORE“ ženklas), 2004. – 160 p.

ISBN 9955-9725-0-5

Garsaus amerikiečių rašytojo I. Levino (g. 1929) romanas, kuriame pasakojama bemaž neįtikima istorija. Jauna šeima atsikrausto į provincijos miestelį, kuriame tikisi įsikurti ir pabėgti nuo didmiesčio triukšmo bei rūpesčių. Tačiau kas galėjo pagalvoti, kad šis žingsnis taps lemtingų ir išties siaubingų įvykių pradžia. Sveiki, atvykę į Stepfordą, kur viskas ne taip, kaip atrodo...

UDK 820(73)-3

Ira Levin
STEPFORDO MOTERYS
Romanas

Iš anglų kalbos vertė *Linas Ruzgys*
Viršelio dizaineris *Andrius Morkeliūnas*
Maketuotoja *Alma Liuberskienė*

2004 10 17. 10 sp. l. Tiražas 2000 egz. Užsakymas Nr. 4219
Išleido „Obuolys“, tel.: 8-677 47887
Spausdino „Mažoji poligrafija“, A. Smetonos al. 35–1,
LT-45323 Kaunas, tel.: 8-37 345698